张惠芬◎编著

张老师教汉字

汉字拼读课本 下

LEARNING CHINESE CHARACTERS FROM MS. ZHANG

FROM CHARACTERS TO WORDS (B)

英译·沈叙伦

北京语言大学出版社
BEIJING LANGUAGE AND CULTURE UNIVERSITY PRESS

图书在版编目（CIP）数据

张老师教汉字·汉字拼读课本（下）/ 张惠芬编著.
—北京：北京语言大学出版社，2009 重印
ISBN 978-7-5619-1463-2

Ⅰ. 张…
Ⅱ. 张…
Ⅲ. 汉字-对外汉语教学-教材
Ⅳ. H195.4

中国版本图书馆 CIP 数据核字（2005）第 071013 号

书　　名：张老师教汉字·汉字拼读课本（下）
责任印制：陈　辉

出版发行：北京语言大学出版社
社　　址：北京市海淀区学院路 15 号　邮政编码：100083
网　　址：www.blcup.com
电　　话：发行部　82303650 / 3591 / 3651
　　　　　编辑部　82303647
　　　　　读者服务部　82303653 / 3908
　　　　　网上订购电话　82303668
　　　　　客户服务信箱　service@blcup.net
印　　刷：北京中科印刷有限公司
经　　销：全国新华书店

版　　次：2006 年 5 月第 1 版　2009 年 4 月第 2 次印刷
开　　本：787 毫米×1092 毫米　1/16　印张：16.5
字　　数：291 千字　印数：3001-5000 册
书　　号：ISBN 978-7-5619-1463-2/H·04015
定　　价：45.00 元

凡有印装质量问题，本社负责调换。电话：82303590

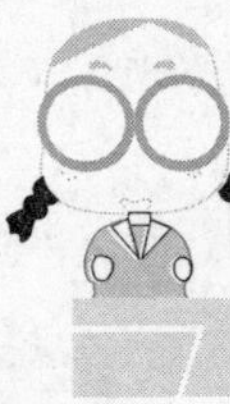

使用建议

《张老师教汉字》是为零起点来华留学生、特别是非汉字文化圈的初学者编写的汉字选修课教材。本教材根据来华留学生汉字学习的实际情况，编为《汉字识写课本》和《汉字拼读课本》两种，使写字教学和识字教学适当分流。

(1)《汉字识写课本》用“图画法”作为形义联想的生发点，以形声字形旁归类为主线，侧重汉字的书写、字源分析和形体结构分析，旨在帮助学习者清晰构建与汉字相适应的认知结构。

(2)《汉字拼读课本》用“拼形法”建立汉字之间的关系联想和类推，以形声字声旁归类为主线，在“记忆窍门”的形式中凸显汉字学习策略，意在给学生一个系统，将构字规律转化为识字规律。

(3)为更有效地掌握汉字，本教材还注意字义与词义的关系，给所学汉字提供了一些由该字组成的词，又给每一个应当掌握的词提供了例句，希望在语境中加深对这些字、词的理解。

(4)本教材还在汉字教学的同时介绍汉字学习策略，体现再循环汉字记忆法，遇生想熟，寻找相似；以熟带生，扩展类化，在不断复现、推演中掌握尽可能多的汉字。

《张老师教汉字》依据国家汉办《汉字水平词汇与汉字等级大纲》，共收录汉字 1885 个，包括全部甲、乙级字以及 260 多个丙、丁级字，另外还有 20 个超纲字，如“翰”“韩”“酪”等，以补学生所需。《汉字识写课本》收录汉字 780 个，其中甲级字 630 个左右，乙级字 120 多个，以及少量的作为部首的丙、丁级字。

《汉字识写课本》共 25 课，《汉字拼读课本》共 30 课，每课均需两课时。

《汉字识写课本》配有练习册，《汉字拼读课本》配有 CD。

北京语言大学　张惠芬

Suggestions on How to Use

Learning Chinese Characters from Ms. Zhang is a set of textbooks for an elective course of Chinese characters for foreign students in China without any Chinese learning experience, especially those beginners coming from the non-Chinese character-culture. In consideration of the real situation, in which those foreign students learn Chinese characters in China, this set of textbooks includes *Reading and Writing Chinese Characters* and *From Characters to Words*, separating in a proper way the teaching of writing Chinese characters from that of reading Chinese characters.

1. With the help of pictures, *Reading and Writing Chinese Characters* encourages learners to associate pictographic elements with meanings. Grouping pictophonetic characters by their pictographic elements, the book lays special emphasis on writing characters and analyzing the origin and structure of the characters, aiming at helping learners establish a cognitive construct for Chinese characters.

2. Highlighting the formation of a character by combining different component parts, *From Characters to Words* establishes association and analogy among Chinese characters. The book groups pictophonetic characters by their phonetic elements and provides various tips for memorizing characters, aiming at helping learners master a system, by which they can change the regular pattern of Chinese characters' formation into a law of learning Chinese characters.

3. To help learners master Chinese characters effectively, the set of textbooks pays attention to the relationship between the meaning of the char-

acter and that of the word by offering some words formed by using the character being learned and providing some example sentences for each of the words to be mastered. It is hoped that learners will gain a better understanding of the characters and the words in context.

4. While carrying out Chinese characters teaching, the set of textbooks also introduces various learning strategies, such as memorizing characters by recycling them repeatedly, associating new characters with the familiar ones by finding the similarity between them, and learning new characters with the help of the old ones etc. These strategies will assist learners to master more Chinese characters.

In accordance with HSK Guidelines for Chinese Words and Characters issued by the National Office for Teaching Chinese as a Foreign Language, *Learning Characters from Ms. Zhang* includes 1,885 Chinese characters altogether, among which are all the Chinese characters of Class A and Class B, over 260 of Class C and Class D characters and 20 not included in the guidelines (such as "翰", "韩" and "酪"). In *Reading and Writing Chinese Characters* 780 Chinese characters are taught, among which about 630 are of Class A characters, over 120 of Class B characters and a few of Class C and Class D characters as radicals.

Reading and Writing Chinese Characters has 25 lessons and *From Characters to Words*, 30. Each of the lessons takes 2 hours to teach.

Reading and Writing Chinese Characters is equipped with a workbook and *From Characters to Words* with CDs.

Zhang Huifen

Beijing Language and Culture University

目　录
CONTENTS

第十六课

汉字园地

Corner for Chinese Characters

1. 液	yè	liquid
液体	yètǐ	liquid
2. 控	kòng	control
控制	kòngzhì	control
3. 油	yóu	oil
石油	shíyóu	petroleum
汽油	qìyóu	gasoline
黄油	huángyóu	butter
4. 弹	①dàn	bomb
原子弹	yuánzǐdàn	atom bomb
	②tán	play
弹琴	tán qín	play the piano
5. 膏	gāo	cream
牙膏	yágāo	toothpaste
6. 稿	gǎo	manuscript
草稿	cǎogǎo	draft
7. 敲	qiāo	knock
敲门	qiāo mén	knock at the door
8. 丁	dīng	cubes
鸡丁	jīdīng	diced chicken

9. 钉	dīng	nail
钉子	dīngzi	nail
10. 顶	dǐng	top
山顶	shāndǐng	hilltop
11. 订	dìng	book；conclude
签订	qiāndìng	conclude and sign
预订	yùdìng	book
12. 登	dēng	climb；publish
登山	dēngshān	mountaineering
登记	dēngjì	register
登陆	dēnglù	land
登录	dēnglù	log on
13. 凳	dèng	stool
凳子	dèngzi	stool
14. 枯	kū	withered
枯燥	kūzào	dull
15. 悲	bēi	sad
悲痛	bēitòng	sorrow
悲观	bēiguān	pessimistic
16. 辈	bèi	generation
一辈子	yíbèizi	one's whole life
17. 将	jiāng	be going to；will
将来	jiānglái	future
将要	jiāngyào	will
18. 奖	jiǎng	award
奖学金	jiǎngxuéjīn	scholarship
19. 酱	jiàng	jam
酱油	jiàngyóu	soy sauce
20. 摇	yáo	shake
摇头	yáo tóu	shake one's head

21. 遥	yáo	far
遥远	yáoyuǎn	distant
22. 艰	jiān	hardship
艰苦	jiānkǔ	hardship
23. 限	xiàn	limit
无限	wúxiàn	limitless
限制	xiànzhì	limit
24. 迅	xùn	rapid
迅速	xùnsù	rapid
25. 讯	xùn	news
通讯	tōngxùn	communication; news report
26. 推	tuī	push
推动	tuīdòng	push forward
推广	tuīguǎng	popularize
27. 堆	duī	heap; pile
堆积	duījī	pile up
堆雪人	duī xuěrén	make a snowman
28. 虑	lǜ	consider
考虑	kǎolǜ	consider
29. 虚	xū	empty
虚心	xūxīn	modest
30. 隐	yǐn	hidden from view; latent
隐私	yǐnsī	privacy
31. 稳	wěn	stable
稳定	wěndìng	stability
32. 瞒	mán	hide the truth from
隐瞒	yǐnmán	conceal
33. 甜	tián	sweet
甜蜜	tiánmì	happy
34. 均	jūn	equal

平均	píngjūn	average
35. 称	chēng	call；weight
称呼	chēnghu	to address
36. 绝	jué	absolutely
绝对	juéduì	absolutely
37. 割	gē	cut
割断	gēduàn	sever troncare/tagliare
分割	fēngē	cut apart；separate

记忆窍门

Tips for Memorizing Work

一 形声字声旁记忆

Memorize the following characters with the given phonetic elements.

夜 yè

（ ）夜 ____________

（ˋ）液 液体 yètǐ liquid

空 kòng

（ˋ）控 控制 kòngzhì control

由 yóu

（ ）邮 ____________

（ˊ）油 石油 shíyóu petroleum

汽油 qìyóu gasoline

黄油 huángyóu butter

单 dān

（ˋ）弹 原子弹 yuánzǐdàn atom bomb

(tán) 弹琴 tán qín play the piano

高 gāo

(ˇ) 搞 ________

(¯) 膏 牙膏 yágāo toothpaste

(ˇ) 稿 草稿 cǎogǎo draft

(qiāo)敲 敲门 qiāo mén knock at the door

丁 dīng

(¯) 丁 鸡丁 jīdīng diced chicken

(¯) 钉 钉子 dīngzi nail

(ˇ) 顶 山顶 shāndǐng hilltop

(ˋ) 订 签订 qiāndìng conclude and sign

预订 yùdìng book

( ) 灯 ________

( ) 厅 ________

gāo

液	控	油	弹	膏	稿	敲	丁	钉	顶	订

二 比较下列形近、音近字

Compare the following characters with similar pictographic or phonetic elements.

登——凳

登 dēng 登山 dēngshān mountaineering

登记 dēngjì register

登陆 dēnglù land

登录 dēnglù log on

凳 dèng 凳子 dèngzi stool

men tīng
门厅 = lobby

苦——枯

苦 ________

枯 kū 枯燥 kūzào dull

起码 = at least
qi mǎ

悲——辈

悲	bēi	悲痛	bēitòng	sorrow
		悲观	bēiguān	pessimistic
辈	bèi	一辈子	yíbèizi	all one's life

将——奖——酱

将	jiāng	将来	jiānglái	future
		将要	jiāngyào	will
奖	jiǎng	奖学金	jiǎngxuéjīn	scholarship
酱	jiàng	酱油	jiàngyóu	soy sauce

摇——遥

摇	yáo	摇头	yáo tóu	shake one's head
遥	yáo	遥远	yáoyuǎn	distant

艰——限

艰	jiān	艰苦	jiānkǔ	hardship
限	xiàn	无限	wúxiàn	limitless
		限制	xiànzhì	limit

迅——讯

迅	xùn	迅速	xùnsù	rapid
讯	xùn	通讯	tōngxùn	communication; news report

推——堆

推	tuī	推动	tuīdòng	push forward
		推广	tuīguǎng	popularize
堆	duī	堆积	duījī	pile up
		堆雪人	duī xuěrén	make a snowman

虑——虚

虑	lǜ	考虑	kǎolǜ	consider
虚	xū	虚心	xūxīn	modest

满——瞒

满	(　)	________		
瞒	mán	隐瞒	yǐnmán	conceal

稳——隐

稳	wěn	稳定	wěndìng	stability
隐	yǐn	隐私	yǐnsī	privacy

登 凳 枯 悲 辈 将 奖 酱 摇 遥 艰 限 迅 讯

推 堆 虑 虚 瞒 稳 隐

三 部件构字

Memorize the following characters formed by the given parts.

舌 甘	甜	tián	甜蜜	tiánmì	happy
土 匀	均	jūn	平均	píngjūn	average
禾 尔	称	chēng	称呼	chēnghu	address
纟 色	绝	jué	绝对	juéduì	absolutely
害 刂	割	gē	割断	gēduàn	sever
			分割	fēngē	cut apart; separate

甜 均 称 绝 割

活用园地

Corner for Flexible Usage

一 组词

Form words and phrases.

液 液态 liquid state 血液 blood

控 控告 charge 控诉 denounce 遥控器 remote control

油 奶油(蛋糕) butter (cake) 油条 deep-fried twisted dough stick
加油 oil; make more efforts

弹 ①dàn
子弹 bullet 导弹 missile 弹药 ammunition
②tán
弹钢琴 play the piano 乱弹琴 talk nonsense
对牛弹琴 cast pearls before swine

膏 药膏 ointment 擦药膏 apply ointment to 石膏 gypsum

稿 讲稿 lecture notes 原稿 manuscript 稿件 contribution
稿纸 standardized writing paper with squares or lines
稿费 contribution fee 稿子 draft

敲 敲桌子 knock at the table 敲鼓 beat the drum

顶 头顶 the top of the head 屋顶 roof 楼顶 the top of a building
一顶帽子 a hat 顶点 apex

订 订合同 make a contract 订计划 make a plan
订报纸 subscribe newspapers. 订机票 book a flight ticket
订房间 book a room 订日期 fix a date 订购 order
订婚 be engaged 订货 order goods

登 登上长城 climb up to the Great Wall 登台表演 perform on the stage
登广告 put up an advertisement 登报 publish in the newspaper

凳 矮凳 low stool 长凳 bench 方凳 square stool
圆凳 round stool

枯 枯草 withered grass 枯黄 withered and yellow

悲　悲伤　sorrow　悲剧　tragedy　悲观　pessimistic
　　可悲　lamentable

辈　长辈　elder　前辈　the older generation
　　祖祖辈辈　generation after generation

将　将要　be going to　将近　close to　将军　general
　　即将　be about to

奖　得奖　win a prize　发奖　award prizes　奖励　award
　　奖金　money award　奖状　certificate of merit　奖品　trophy
　　一等奖　first prize

酱　果酱　jam　酱菜　vegetables pickled in soy sauce

摇　动摇　waver　摇摆　swing; sway　摇晃　sway

遥　遥控　remote control　遥感　remote sensing

艰　艰巨　formidable　艰难　arduous　艰险　hardships and dangers

限　限时间　time limited　限人数　number of people limited
　　有限　limited　局限　limitation　期限　deadline

迅　迅速发展　develop rapidly　动作迅速　quick in one's movements

讯　电讯　telecommunication　喜讯　good news　简讯　news in brief
　　音讯　news　通讯地址　address　通讯社　news agency

推　推迟　postpone　推进　carry forward　推测　guess
　　推翻　overthrow　推理　inference　推论　deduce
　　推行　carry out　推送　elect　推算　calculate

堆　土堆　a heap of earth　草堆　a heap of grass
　　一堆土　a heap of earth　一堆人　a crowd of people　堆放　pile up

虑　顾虑　misgiving　焦虑　feel anxious　疑虑　doubt

虚　虚假　false　空虚　empty　虚弱　weak
　　名不虚传　have a well-deserved reputation

隐　隐情　secrets　隐约　indistinct; faint　隐形眼镜　contact lens
　　隐形飞机　stealth aircraft

稳　稳当　reliable　稳重　steady　平稳　stable
　　十拿九稳　almost completely sure　稳固　firm

甜　甜瓜　muskmelon　甜酒　sweet wine　甜食　sweet food
　　甜言蜜语　fine-sounding words

均　机会均等　equal opportunity　平均数　average　均匀(yún)　even

称 简称 abbreviation 名称 name 称号 title
称一条鱼 weigh a fish

绝 绝密 top-secret 绝交 break off relations 绝种 become extinct
断绝 sever 谢绝 decline 绝无仅有 unique 绝望 despair

割 割草 cut grass 割断 sever 分割 divide 收割机 harvester
心如刀割 feel as if a knife were piercing one's heart

二 认读句子

Read and try to understand the following sentences.

1. 外面好像有人在敲门。
   It seems somebody's knocking at the door.
2. 一九四五年美国在日本扔下了两颗原子弹。
   The USA dropped two atom bombs in Japan in 1945.
3. 他因为学习刻苦，得到了学校的奖学金。
   He received scholarship for his hard work in his studies.
4. 我要买这种咖啡，还要一瓶酱油，再要一点儿黄油。
   I'd like this brand of coffee, a bottle of soy a sauce and a little butter.
5. 飞机将于明日 8 时起飞。
   The plane will take off at 8 tomorrow.
6. 我下星期回国，已经预订好了飞机票。
   I'm going back to my country next week and have already booked the flight ticket.
7. 他这个人绝对可靠，不会骗我们的。
   He is absolutely reliable, and will not deceive us.
8. 这两年，我们国家经济发展迅速，很多方面都取得了很大的成绩。
   These two years have witnessed rapid economic development as well as great achivevments in many fields in our country.
9. 那个孩子摇着头说："我不想弹琴，我不想弹琴。"
   The boy shook his head and said, "I won't play the piano. I won't."
10. 他的病已经得到了控制，现在情况比较稳定。
    His illness has been brought under control and his condition is stable.
11. 全国各地都在推广普通话。
    The common speech is popularized throughout the country.

12. 他爸爸在那个艰苦的地方工作了一辈子。
His father worked in that poor place all his life.
13. 这个圆凳上有一个钉子,你别坐这个。
There's a nail on the round stool. Don't sit on it.
14. 那个穿夹克衫的学生第一个登上了山顶。
The student in a jacket was the first to climb to the top of the mountain.
15. 我的故乡在南非,那是一个遥远而美丽的国家。
My home is in South Africa, which is a faraway and beautiful country.
16. 牙膏快用完了,明天要去买一支了。
My toothpaste is running out. I'll have to buy one.
17. 这本书每一课的生词不太均匀,有的课太多,有的课又太少。
The new words in this textbook are not evenly distributed. There are more of them in some lessons than in others.
18. 水是一种无色、无味的液体。
Water is a colorless and tasteless liquid.
19. 我那篇作文的草稿不知道放哪儿了。
I don't remember where I have put the draft of my composition.
20. 因为干旱,那条河已经枯干了。
Because of the drought, the river is already dried up.
21. 众多的人口限制了中国经济的发展。
The big population has hindered China's economic development.
22. 你那儿有阿里的通讯地址吗?我想给他写封信。
Have you got Ali's address? I'd like to write to him.
23. 孩子们正在操场堆雪人。
The children are making a snowman on the playground.
24. 我考虑了很久,最后决定来中国学习汉语。
After long consideration, I finally decided to come to China to learn Chninese.
25. 妈妈常常对我说:"王京的学习成绩多好啊,你应该虚心向他学习。"
My mother often says to me, "What a good student Wang Jing is. You should learn from him in real earnest."
26. 夫妻俩十分相爱,过着甜甜蜜蜜的幸福生活。
The husband and wife love each other and live a happy life.
27. 一年级一共有 40 个班,平均每个班 18 个学生。
There are 40 classes in Grade One, each having 18 students on average.

28. 那个孩子<u>称呼</u>我"奶奶"，我很吃惊，我真的那么老吗？
That boy called me "grandma"! I was very much surprised. Do I look really that old?
29. 小孩子不能玩刀子，小心<u>割破</u>手。
Children are not allowed to play with knives. Be careful not to cut your hands.
30. 我要一个<u>鸡丁</u>，一条红烧鱼，再来碗米饭，能不能快一点儿？

自学园地
Corner for Self-study

一 给下列词语注音
Mark the following words with the right phonetic symbols.

黄油	摇头	将来	虚心	通讯
( )	( )	( )	( )	( )
平均	草稿	敲敲	推动	悲观
( )	( )	( )	( )	( )

二 写出本课含有下列偏旁的汉字并注音
Write out the characters with the following radicals in this lesson, and mark them with phonetic symbols.

禾：________( ) ________( )
辶：________( ) ________( )
讠：________( ) ________( )
土：________( ) ________( )
氵：________( ) ________( )
心：________( ) ________( )
扌：________( ) ________( )

三 在括号内填上合适的词语

Fill in the blanks with the right words and phrases.

控制(　　)	预订(　　)	推广(　　)
(　　)	(　　)	(　　)
考虑(　　)	限制(　　)	登记(　　)
(　　)	(　　)	(　　)
枯燥的(　　)	悲痛的(　　)	遥远的(　　)
(　　)	(　　)	(　　)
艰苦的(　　)	稳定的(　　)	悲观的(　　)
(　　)	(　　)	(　　)

四 选择填空

Choose the right characters to fill in the blanks.

1. 今天,我买了一个奶______蛋糕。 (由、油、邮)
2. 那个商店货______上东西太少,所以来买东西的人也越来越少。 (架、加、驾、茄)
3. 他是______教育的,是中国有名的教育家,这些都是他写的有关教育问题的手______。 (搞、稿、高、膏)
4. 我只在中国学习一年,所以需要好好地______一个学习计划。 (订、钉、灯)
5. 他觉得学习数学是一件很______燥的事。 (故、姑、枯、苦)
6. 这种苹果很______。 (甜、括、适、乱)
7. 他怎么______门就进来了,也不______一下门。 (堆、谁、推、难、集)(搞、敲、稿)
8. 最近几年,中国在通______方面发展很快。 (讯、迅)
9. 现在我的汉语水平有______,还不能翻译这篇文章。 (艰、银、很、限)

五 阅读下列句子并回答问题

Read the following sentences and answer the questions accordingly.

1. 这个住宅小区里边的卫生情况还不错，可是小区外边的情况就让人摇头了，一堆一堆的垃圾堆积在那里，大概有好几天了。
   这个小区的卫生情况怎么样？
2. 今天我们正式签订了这个订货合同。来，为我们今后合作愉快干杯！
   "我们"在做什么？
3. 报名参加登山运动的人请在这儿登一下记。
   谁要登记？
4. 这本小说的内容很枯燥，看得我直想睡觉。
   这本小说怎么样？
5. 刚入学时，我觉得毕业是一件非常遥远的"将来"的事。没想到四年这么快就过去了，下个月我将要毕业了。
   这句话想说明什么？
6. 随着石油价格的上升，汽油也贵了很多，这汽车看来也快用不起了。
   石油价格的上升对说话人造成了什么影响？
7. 我昨天给她打了一个电话，劝她不要那么悲观，要乐观起来，少想自己的病情，多想想病好以后，一家人快快乐乐那种无限美好的生活。
   我为什么给他打电话？
8. 孙继海是中国第一位登陆英超联赛的足球选手。
   孙继海是谁？
9. 一个男人发现他的女朋友向他隐瞒了真实的年龄，非常生气地问她为什么要这么做，女人平静地说："不要问女人年龄，这是女人的隐私。"
   女人为什么隐瞒自己的年龄？
10. 妈妈已经在新浪网上给你设立了一个邮箱，你只要先登录，在这儿输入你的这个用户名和密码，就可以进入你的邮箱，看到小朋友给你发的邮件了。
    他们在做什么？

17 LESSON

第十七课

汉字园地

Corner for Chinese Characters

1. 榜	bǎng	notice; a list of names posted up
榜样	bǎngyàng	a good example
排行榜	páihángbǎng	list
2. 膀	bǎng	upper arm
肩膀	jiānbǎng	shoulder
3. 傍	bàng	close to
傍晚	bàngwǎn	dusk
4. 镑	bàng	pound
英镑	yīngbàng	pound sterling
5. 申	shēn	explain
申请	shēnqǐng	apply for
6. 伸	shēn	stretch
伸手	shēn shǒu	stretch out one's hand
7. 墙	qiáng	wall
城墙	chéngqiáng	city wall
墙纸	qiángzhǐ	wallpaper
8. 填	tián	fill
填空	tiánkòng	fill in the blanks
9. 塑	sù	mould

塑料	sùliào	plastics
塑身	sù shēn	get into shape
10. 埋	mái	bury
埋头	máitóu	be bent on
11. 扫	sǎo	sweep
打扫	dǎsǎo	clean
12. 摘	zhāi	pick; select
摘花	zhāi huā	pluck flowers
摘要	zhāiyào	make a summary; summary
13. 扩	kuò	enlarge
扩大	kuòdà	enlarge
14. 漏	lòu	leak
漏气	lòu qì	gas leak
15. 滚	gǔn	roll
滚动	gǔndòng	roll
16. 沉	chén	sink; heavy; (of degree) deep
沉默	chénmò	keep silent
沉重	chénzhòng	heavy
17. 滴	dī	drop; drip
一滴水	yì dī shuǐ	a drop of water
18. 肩	jiān	shoulder
19. 肯	kěn	be willing to do
肯定	kěndìng	affirm; affirmative; definite
20. 骨	gǔ	bone
骨头	gǔtou	bone
骨感	gǔgǎn	bony
21. 脉	mài	range
山脉	shānmài	mountain range
22. 肺	fèi	lung
肺炎	fèiyán	pneumonia
23. 默	mò	taciturn

默读	mòdú	read silently
默默	mòmò	quietly
24. 奋	fèn	exert oneself
奋斗	fèndòu	strive
兴奋	xīngfèn	excited
25. 夺	duó	seize
夺取	duóqǔ	seize
26. 投	tóu	throw
投入	tóurù	throw into; investment
投票	tóu piào	vote
27. 股	gǔ	share
股份	gǔfèn	share
股票	gǔpiào	stock
股市	gǔshì	stock market
28. 穷	qióng	poor
穷人	qióngrén	poor people
贫穷	pínqióng	poor
无穷	wúqióng	endless
29. 席	xí	seat
主席	zhǔxí	chairman
出席	chūxí	be present
30. 叶	yè	leaf
树叶	shùyè	leaf
茶叶	cháyè	tea
31. 汁	zhī	juice
果汁	guǒzhī	fruit juice
32. 沿	yán	along
沿海	yánhǎi	along the coast
33. 消	xiāo	disappear
消息	xiāoxī	news
取消	qǔxiāo	cancel
消费	xiāofèi	consume

消失	xiāoshī	disappear
消化	xiāohuà	digest
34. 宵	xiāo	night
元宵节	Yuánxiāo Jié	the Lantern Festival
35. 抄	chāo	copy
抄写	chāoxiě	copy
36. 吵	chǎo	quarrel
吵架	chǎo jià	fall out

记忆窍门

Tips for Memorizing Work

一 形声字声旁记忆

Memorize the following characters with the given phonetic elements.

旁 páng

(bǎng)	榜	榜样	bǎngyàng	a good example
		排行榜	páihángbǎng	list
(ˇ)	膀	肩膀	jiānbǎng	shoulder
(ˋ)	傍	傍晚	bàngwǎn	dusk
(ˋ)	镑	英镑	yīngbàng	pound sterling

申 shēn

(ˉ)	申	申请	shēnqǐng	apply for
(ˉ)	伸	伸手	shēn shǒu	stretch out one's hand
( )	神	______		

榜	膀	傍	镑	申	伸

二 形声字形旁记忆

Memorize the following characters with the given pictographic elements.

土	墙	qiáng	城墙	chéngqiáng	city wall
			墙纸	qiángzhǐ	wallpaper
	填	tián	填空	tiánkòng	fill in the blanks
	塑	sù	塑料	sùliào	plastics
			塑身	sù shēn	get into shape
	埋	mái	埋头	máitóu	be bent on
扌	扩	kuò	扩大	kuòdà	enlarge
	扫	sǎo	打扫	dǎsǎo	clean
	摘	zhāi	摘花	zhāi huā	pluck flowers
			摘要	zhāiyào	make a summary; summary
氵	漏	lòu	漏气	lòu qì	gas leak
	滚	gǔn	滚动	gǔndòng	roll
	沉	chén	沉默	chénmò	keep silent
			沉重	chénzhòng	heavy
	滴	dī	一滴水	yì dī shuǐ	a drop of water
月	肩	jiān			
	肯	kěn	肯定	kěndìng	certainly
	骨	gǔ	骨头	gǔtou	bone
			骨感	gǔgǎn	bony
	脉	mài	山脉	shānmài	mountain range
	肺	fèi	肺炎	fèiyán	pneumonia

墙 填 塑 埋 扩 扫 摘 漏 滚 沉 滴 肩 肯 骨

脉 肺

三 比较形近字

Compare the following characters with similar pictographic elements.

墨——默

墨	______			
默	mò	默读	mòdú	read silently
		默默	mòmò	quietly

奋——夺

奋	fèn	奋斗	fèndòu	strive for
		兴奋	xīngfèn	excited
夺	duó	夺取	duóqǔ	seize

投——股——没——设

投	tóu	投入	tóurù	throw into；investment
		投票	tóu piào	vote
股	gǔ	股份	gǔfèn	share
		股票	gǔpiào	stock
		股市	gǔshì	stock market
没	______			
设	______			

究——穷

究	______			
穷	qióng	穷人	qióngrén	poor people
		贫穷	pínqióng	poor
		无穷	wúqióng	endless

度——席

度	______			
席	xí	主席	zhǔxí	chairman

叶——汁——计——什

叶	yè	树叶	shùyè	leaf
		茶叶	cháyè	tea
汁	zhī	果汁	guǒzhī	fruit juice

计 ______________________
什 ______________________

船——铅——沿

船 ______________________
铅 ______________________

沿	yán	沿海	yánhǎi	along the coast

消——宵

消	xiāo	消息	xiāoxī	news
		取消	qǔxiāo	cancel
		消费	xiāofèi	consume
		消失	xiāoshī	disappear
		消化	xiāohuà	digest
宵	xiāo	元宵节	Yuánxiāo Jié	the Lantern Festival

抄——吵

抄	chāo	抄写	chāoxiě	copy
吵	chǎo	吵架	chǎo jià	fall out

默	奋	夺	投	股	穷	席	叶	汁	沿	消	宵	抄	吵

活用园地

Corner for Flexible Usage

一 组词

Form words and phrases.

膀　膀子 arm　光着膀子 be stripped to the waist
傍　依山傍水 at the foot of a mountain and by the river
申　申报 report to a higher body　申明 state　重申 reiterate
伸　伸出 stretch　伸腰 straighten one's back　伸展 stretch

伸张 uphold 伸直 straighten 延伸 extend
伸缩性 flexibility

墙 墙报 wall newspaper 墙角 corner of the walls
墙纸 wallpaper 围墙 wall

填 填表 fill in the form 填写 fill in 填满 fill up 填补 fill

塑 塑造 portray 塑像 statue

埋 埋没 stifle 活埋 bury alive 埋在地下 bury underground

扩 扩充 expand 扩展 expand 扩张 expand 扩建 extend
扩散 proliferation 扩音器 amplifier

扫 扫地 sweep the floor 扫雪 sweep away the fallen snow
大扫除 a general cleaning 扫描 scan 扫视 sweep

摘 摘苹果 pick apples 摘眼镜 take off glasses 摘要 summary
摘录 take passages 摘除 excise 文摘 digest

漏 漏水 make water 漏雨 rain leaks in 漏风 air leak
漏电 leak electricity 漏光 light leak 漏勺 strainer
漏了一个字 a word is missing

滚 滚出去 get out 滚下来 roll down 滚动 roll 滚蛋 get out

沉 沉思 deep in thought 沉静 calm 沉重 heavy 沉痛 bitter
沉着(zhuó) calm 深沉 deep 昏昏沉沉 dizzy 阴沉沉 gloomy

滴 一滴眼泪 a tear 点滴 a little bit 滴水 dripping

肩 并肩 shoulder to shoulder 披肩 cape
擦肩而过 brush past somebody

肯 不肯 reluctant 肯干 be willing to do hard work
肯帮忙 be willing to help 宁(nìng)肯 would rather

骨 骨科 orthopaedics 骨肉 flesh and blood 排骨 spareribs
骨子里 in the bones 骨灰 ashes of the dead
甲骨文 inscriptions on bones or tortoise shells during the Shang Dynasty

脉 静脉 vein 动脉 artery 血脉 blood vessel 叶脉 leaf vein
脉搏(bó) pulse 来龙去脉 cause and effect

肺 肺病 pulmonary tuberculosis 肺活量 vital capacity

默 默写 write from memory 默认 tacitly approve
默许 tacitly consent to 默默无闻 unknown to the public

奋 奋力 exert oneself 兴奋 excitement 兴奋剂(jì) stimulant

艰苦奋斗　hard struggle

夺　夺得　seize　夺金牌　win the first prize　争夺　scramble for

投　投机　congenial; speculate　投产　put into production
投标　enter a bid　投放　throw in　投稿　contribute
投降(xiáng)　surrender　投影仪　projector
情投意合　find each other congenial

股　一股线　a bunch of thread　一股泉水　a stream of spring water
股市　stock market　股民　shareholder　股东　shareholder
股份　share　屁股　hip

穷　穷国　a poor country　穷苦　poverty-stricken
一穷二白　poor and blank　无穷　infinite

席　出席　be present　缺席　absent　席位　seat　软席　soft seat

叶　叶子　leaf　树叶　leaf　绿叶　green leaf
红叶　red autumnal leaf　枯叶　withered leaf

汁　苹果汁　apple juice　橘子汁　orange juice
西瓜汁　melon juice　桃汁　peach juice

沿　沿街　alongside the street　沿路　along the road
沿江　along the river　沿途(tú)　throughout the journey
沿着河边　along the riverside

消　消除　get rid of　消极　passive　消灭　wipe out
消防车　fire engine　消炎　dephlogisticate

宵　元宵　sweet dumplings made of glutinous rice flour
夜宵　midnight snack　通宵　all through the night

抄　抄录　copy　抄送　make a copy for

吵　吵闹　wrangle　吵嘴　bickering　争吵　quarrel

二　认读句子

Read the following sentences and try to understand them.

1. 塑料袋被称为白色垃圾。
Plastic bags are called white garbage.

2. 昨天傍晚开始刮大风,屋子前面掉了一地的树叶,今天一早,爷爷就出去打扫了。
The wind started blowing at dusk yesterday. The ground in front of the

house was covered with leaves. Grandpa went out to clean them early in the morning.

3. 最近几年，学校不断地扩大，现在一共有五千多名留学生了。
The school has been growing in recent years, and now it has more than five thousand overseas students.
4. 这些城墙已经有几千年的历史了。
The city walls have a history of thousands of years.
5. 这夫妻俩又吵架了，只听见妻子大声地说："你滚开，我再也不想见到你！"
The couple fell out again. The wife was heard saying, "Get out! I don't want to see you again!"
6. 这张《入学申请表》请你填一下。
Please fill in the application form of admission.
7. 告诉你一个好消息，我们学校的网球队夺取了比赛的冠军。
Tell you a piece of good news: our school's tennis team won the championship.
8. 请把今天的生词抄写两遍。
Please copy twice all the new words learned today.
9. 他儿子长得真快，快到他肩膀这么高了。
His son is growing fast and almost reaches his shoulder.
10. 如果他想当主席，我肯定投他的票。
If he runs for presidency, I'll vote for him certainly.
11. 他是我学习的榜样。
He is an example for me to learn from.
12. 我这条腿去年打球的时候骨头受过伤，现在活动还不太方便。
This leg of mine was hurt last year when I played basketball. Now it still does not move easily.
13. 你们怎么都沉默了？有意见可以说嘛。
Why are you all silent? Speak out if anyone has something to say.
14. 他每天都埋头学习，从来都不锻炼。
He's bent on his studies every day and never goes out for exercise.
15. 我的自行车漏气了，请问哪儿可以打气？
My bike has got a flat tire. Where can I pump up the tire, please?
16. 这几年，中国沿海地区经济发展很快。
Recent years have seen rapid economic development along China's coastal areas.
17. 你喜欢喝哪种果汁，西瓜汁还是橘子汁？
Which kind of juice do you like better, melon juice or orange juice?

18. 中国有很多节日,如元宵节、中秋节、春节、国庆节等等。
China has a lot of holidays, such as the Lantern Festival, the Mid-autumn Festival, the Spring Festival , National Day, etc.
19. 他买了不少股票,可惜都赔了。
He bought a lot of stocks, but he lost them all.
20. 小明正想伸手摘花,他妈妈告诉他,公园里的花只能看,不能摘。
Xiao Ming was going to pluck the flower when his mother told him that flowers in a park were not allowed to be pluck about to be seen.
21. 他儿子在英国留学,学费很贵,一年要 10000 英镑左右。
His son is studying in Britain. The tuition fee is high and he has to pay 10,000 pounds every year.
22. 这房子有点儿漏,你看,那儿正滴水呢。
The house is leaking. Look, it's dripping.
23. 附近有个"骨头庄饭店",那儿的骨头汤好喝极了。
There's a "Gutouzhuang Restaurant"nearby, where you can have delicious bone soup.
24. 喜马拉雅(yǎ)山脉是世界最高山脉,世界最高峰就在那儿。
The Himalayas are the highest mountain range in the world, and the highest peak in the world lies there.
25. 现在请大家默读课文。
Now please read the text silently.
26. 小时候,我家里很穷,所以我爸爸从小就告诉我们,要艰苦奋斗。
When I was a child, my family was very poor. My father told us to struggle hard.
27. 国家主席今天在人民大会堂出席了国庆五十六周年庆祝大会。
The Chinese president attended the celebration of the 56th anniversary of the founding of the country at the Great Hall of the People today.
28. 山上滚下来一块大石头。
A big stone rolled down the hill.
29. 船里进了很多水,最后泰(tài)坦尼(ní)克号沉入了海底。
Water got into the ship, and finally the Titanic sank to the bottom of the sea.
30. 听说孩子得了肺炎,妈妈着急得眼泪都快流出来了。
Being told that her child had pneumonia, Mum got so anxious that she even wept tears.

自学园地

Corner for Self-study

一 给下列词语注音

Mark the following words with the right phonetic symbols.

肩膀（ ） 塑料（ ） 肺炎（ ） 投票（ ） 沿海（ ）

吵架（ ） 肯定（ ） 英镑（ ） 伸手（ ） 元宵节（ ）

二 写出本课含有下列偏旁的汉字并注音

Write out the characters with the following radicals in this lesson, and mark them with phonetic symbols.

月：____（ ） ____（ ） ____（ ） ____（ ）
____（ ） ____（ ） ____（ ）

氵：____（ ） ____（ ） ____（ ） ____（ ）
____（ ） ____（ ） ____（ ）

扌：____（ ） ____（ ） ____（ ） ____（ ）
____（ ）

土：____（ ） ____（ ） ____（ ） ____（ ）

口：____（ ） ____（ ）

亻：____（ ） ____（ ）

三 在括号内加上合适的词语

Fill in the blanks with the right words and phrases.

申请（ ） 打扫（ ） 扩大（ ） 夺取（ ） 默读（ ）
（ ） （ ） （ ） （ ） （ ）

肯定（ ） 投入（ ） 抄写（ ） 取消（ ） 出席（ ）
（ ） （ ） （ ） （ ） （ ）

四 根据意思把左右两栏连起来

Match the words in the left column with the ones on the right.

宽大的	榜样	惊人的	股票
严重的	城墙	大量的	茶叶
学习的	肩膀	可怜的	元宵节
美丽的	肺炎	新鲜的	消息
古老的	傍晚	欢乐的	穷人

五 阅读下列句子并回答问题

Read the following sentences and answer the questions accordingly.

1. 最近几年,这个城市投入了大量的人力、物力和财力建造地铁。通过工人们两年多的艰苦奋斗,新建地铁将于下周正式投入使用,这是我今天早上听《新闻和报纸摘要》节目时得知的消息。
   现在地铁是否已经开通?
2. 昨天他们俩大吵了一架,于是决定取消下个星期将要举行的婚礼。
   他们俩怎么了?
3. 随着经济的发展,人民群众的消费水平不断提高,消费者对消费品的需求也越来越多样化。
   经济发展对消费有什么影响?
4. 中国运动员在奥运会上已经夺得了 41 块金牌。这是我从电视上的滚动新闻中看到的消息。
   "我"是怎么知道这个消息的?
5. 一个人能否成功,有时候也要靠机会。可是机会常常跟我们擦肩而过,如果不牢牢地抓住,很快就消失了。
   这句话说明了什么道理?
6. 吃得太多会造成消化不良,江中牌健胃消食片,助消化,让你一身轻松!
   这是一个什么内容的广告?
7. 听说自己的那首歌本周已经上升到了排行榜的第一位,那位歌手特别兴奋,多年的奋斗终于换来了今天的成功。
   那位歌手为什么很兴奋?

8. 目前健美、塑身运动已经成为一种时尚。因为在一些女性看来，苗条就是美，瘦就是美，而且瘦到产生骨感，才是最美。
为什么塑身运动成为一种时尚？
9. 当医生把母亲的病情告诉他时，他的心情一下子变得沉重起来。在回家的路上脚步也越来越沉重。刚才在病床前，他默默地看着沉睡的母亲，没敢把这个消息告诉她。
医生告诉他的可能是什么消息？
10. 父母虽然一生贫穷，但却始终保持着乐观的心情。晚年时，他们在乡下种种花，养养鸡，其乐无穷，不管怎么劝，两位老人也不愿意跟我们一起住在城里。
两位老人为什么不愿住在城里？

第十八课

汉字园地

Corner for Chinese Characters

1. 冻	dòng	freeze
冷冻	lěngdòng	freeze
2. 供	gōng	supply
提供	tígōng	supply
3. 洛	Luò	a river in Henan Province
洛阳	Luòyáng	Luoyang
4. 落	luò	fall
落后	luòhòu	lag behind
降落	jiàngluò	descend; land
5. 铜	tóng	copper
铜牌	tóngpái	bronze medal
古铜色	gǔtóngsè	bronze-coloured
6. 筒	tǒng	a thick tube-shaped object
话筒	huàtǒng	microphone
邮筒	yóutǒng	mailbox
7. 洞	dòng	hole
山洞	shāndòng	cave
8. 烫	tàng	scald; burn; iron
烫衣服	tàng yīfu	iron (or press) clothes
烫发	tàng fà	perm

9. 碑	bēi	tablet
石碑	shíbēi	stone tablet
10. 磨	mó	grind; rub
磨蹭	móceng	dawdle; move slowly
消磨	xiāomó	pass (time) in vain; wear down
11. 砍	kǎn	cut
砍价	kǎn jià	bargain
12. 拣	jiǎn	choose; pick out
挑肥拣瘦	tiāo féi jiǎn shòu	choose whatever is to one's personal advantage
13. 撞	zhuàng	run into
撞人	zhuàng rén	run into sb.
14. 抗	kàng	resist; fight
反抗	fǎnkàng	resist; revolt
抗议	kàngyì	protest
15. 催	cuī	urge; speed up
催促	cuīcù	urge; press; hasten
16. 侵	qīn	invade; intrude into
侵犯	qīnfàn	intrude; encroach upon; violate
17. 仰	yǎng	face upward
信仰	xìnyǎng	belief
18. 牺	xī	sacrifice
19. 牲	shēng	animal
牺牲	xīshēng	sacrifice
20. 铃	líng	bell
电话铃	diànhuàlíng	telephone bell
门铃	ménlíng	doorbell
21. 玲	líng	
王玲	Wáng Líng	name of a person
22. 端	duān	carry; end

开端	kāiduān	beginning
端午节	Duānwǔ Jié	the Dragon Boat Festival
23. 喘	chuǎn	pant
喘气	chuǎn qì	pant; gasp
24. 炮	pào	cannon; artillery
鞭炮	biānpào	firecrakers
25. 袍	páo	robe; gown
旗袍	qípáo	cheongsam
26. 泡	pào	bubble; soak
泡影	pàoyǐng	visionary hope, plan, scheme, etc; bubble
泡吧	pào bā	kill time in the bar
27. 弃	qì	abandon
放弃	fàngqì	give up
28. 施	shī	carry out
施工	shīgōng	carry out construction or large repairs
实施	shíshī	put into effect
29. 拖	tuō	pull
拖鞋	tuōxié	slippers
30. 灵	líng	clever
灵活	línghuó	flexible
31. 寻	xún	search
寻找	xúnzhǎo	look for
32. 括	kuò	contract; include
包括	bāokuò	include
括号	kuòhào	brackets
33. 射	shè	shoot; fire
射门	shè mén	shoot (at the goal)
发射	fāshè	launch
34. 恳	kěn	earnestly; sincerely
诚恳	chéngkěn	sincere

	恳求	kěnqiú	implore; entreat
35.	歇	xiē	have a rest; stop
36.	壶	hú	kettle
	茶壶	cháhú	teapot
37.	贴	tiē	stick
	贴邮票	tiē yóupiào	stick on a stamp
38.	罐	guàn	jar; tin
	罐头	guàntou	tin; can

记忆窍门

Tips for Memorizing Work

一 形声字声旁记忆

Memorize the following characters with the given phonetic elements.

东 dōng

（ˋ） 冻 冷冻 lěngdòng freeze

共 gōng

（ˉ） 供 提供 tígōng supply

洛 luò

（ˋ） 洛 洛阳 Luòyáng Luoyang

（ˋ） 落 落后 luòhòu lag behind

降落 jiàngluò descend; land

同 tóng

（ˊ） 铜 铜牌 tóngpái bronze medal

古铜色 gǔtóngsè bronze-coloured

（ˇ） 筒 话筒 huàtǒng microphone

		邮筒	yóutǒng	mailbox
(dòng)	洞	山洞	shāndòng	cave
汤	tāng			
(ˋ)	烫	烫衣服	tàng yīfu	iron (or press) clothes
		烫发	tàng fà	perm

冻	供	洛	落	铜	筒	洞	烫

二 形声字形旁记忆

Memorize the following characters with the given pictographic elements.

石——	碑	bēi	石碑	shíbēi	stone tablet
	磨	mó	消磨	xiāomó	pass (time) in vain; wear down
			磨蹭	móceng	dawdle; move slowly
	砍	kǎn	砍价	kǎnjià	bargain
扌——	拣	jiǎn	挑肥拣瘦	tiāo féi jiǎn shòu	choose whatever is to one's personal advantage
	撞	zhuàng	撞人	zhuàng rén	run into sb.
	抗	kàng	反抗	fǎnkàng	resist; fight
			抗议	kàngyì	protest
亻——	催	cuī	催促	cuīcù	urge; speed up
	侵	qīn	侵犯	qīnfàn	invade; violate
	仰	yǎng	信仰	xìnyǎng	belief
牜——	牺	xī			
	牲	shēng	牺牲	xīshēng	sacrifice

碑	磨	砍	拣	撞	抗	催	侵	仰	牺	牲

三 比较下列形近字

Compare the following characters with similar pictographic elements.

铃——玲

铃	líng	电话铃	diànhuàlíng	telephone bell
		门铃	ménlíng	doorbell
玲	líng	王玲	Wáng Líng	name of a person

端——喘

端	duān	开端	kāiduān	beginning
		端午节	Duānwǔ Jié	the Dragon Boat Festival
喘	chuǎn	喘气	chuǎn qì	pant; gasp

炮——袍——泡

炮	pào	鞭炮	biānpào	firecrakers
袍	páo	旗袍	qípáo	cheongsam
泡	pào	泡影	pàoyǐng	bubble; visionary hope, plan, scheme, etc.
		泡吧	pào bā	kill time in the bar

弄——弃

弄 ________________________________

弃	qì	放弃	fàngqì	give up

施——拖

施	shī	施工	shīgōng	carry out construction or large repairs
		实施	shíshī	put into effect
拖	tuō	拖鞋	tuōxié	slippers

灵——寻

灵	líng	灵活	línghuó	flexible
寻	xún	寻找	xúnzhǎo	look for

话——活——乱——括

话(　　) ________________________________

活（　　）＿＿＿＿＿＿＿＿＿＿＿＿＿＿＿＿＿＿＿＿

乱（　　）＿＿＿＿＿＿＿＿＿＿＿＿＿＿＿＿＿＿＿＿

括 kuò	包括	bāokuò	include
	括号	kuòhào	brackets

铃	玲	端	喘	炮	袍	泡	弃	施	拖	灵	寻	括

四 部件构字

Memorize the following characters formed by the given parts.

部件	字	拼音	词	拼音	英文
身 寸	射	shè	射门	shè mén	shoot (at the goal)
			发射	fāshè	launch
艮 心	恳	kěn	诚恳	chéngkěn	sincere
			恳求	kěnqiú	implore
曷 欠	歇	xiē			have a rest；stop
士 冖 业	壶	hú	茶壶	cháhú	teapot
贝 占	贴	tiē	贴邮票	tiē yóupiào	stick on a stamp
缶 雚	罐	guàn	罐头	guàntou	tin；can

射	恳	歇	壶	贴	罐

活用园地

Corner for Flexible Usage

一 组词

Form words and phrases.

冻 冰冻 freeze 解冻 thaw 速冻 quick-freeze 冻结 freeze

供 供水 supply water 供电 supply electricity 供应 supply
供给(jǐ) supply 供求 supply and demand
供不应求 supply falls short of demand

落 落叶 fallen leaves 落日 the setting sun 落水 fall into water
落泪 shed tears 落选 fail to be elected 角落 corner
降落 descend

铜 铜像 bronze statue 铜器 copper ware

洞 洞口 the mouth of a cave 空洞 empty

烫 烫手 scald the hand 烫伤 scald

碑 石碑 stone tablet 碑林 forest of stone tablets
碑文 an inscription on a tablet 纪念碑 monument

磨 磨刀 sharpen a knife 磨时间 while away the time
磨炼 temper oneself 磨合 mesh together 磨难 tribulation
好事多磨 the road to happiness is strewn with setbacks

撞 撞车 clash 撞见 run across 碰撞 crash

抗 抗灾 fight natural calamities 抗旱 fight a drought
抗击 resist 抗战 war of resistance against aggression

侵 侵入 invade 侵占 invade and occupy; seize

仰 仰望 face upward 仰卧 lie on one's back 仰泳 backstroke

铃 门铃 doorbell 上课铃 bell for the class

端 端菜 carry food

喘 喘不过气来 be out of breath 喘气 take a breather 喘息 pant

炮 炮弹 shell 大炮 cannon 炮火 gunfire 炮灰 cannon fodder
马后炮 belated action or advice 炮兵 artillery

泡　肥皂泡　soap bubbles　冒泡　bubble up　泡菜　pickled vegetable
　　泡沫(mò)　foam; froth
弃　废弃　discard　遗弃　desert　弃权　abstain　丢弃　discard
施　施加　apply　施展　display　施行　carry out　实施　put into effect
　　无计可施　at the end of one's rope
　　因材施教　teach students according to their aptitude
灵　灵巧　deft　灵验　effective　灵感　inspiration　心灵　soul
　　机灵　clever　显灵　make its presence or power felt　失灵　not work
　　耳朵很灵　having a sensitive ear　方法很灵　the method works
寻　寻求　seek　追寻　in pursuit of　寻常　usual
　　寻欢作乐　seek pleasure and make merry
射　发射　launch　放射　radiate　照射　shine　注射　inject
　　射手　shooter　射线　ray
恳　恳切　earnest　恳请　request in real earnest
歇　歇工　stop work　歇业　close a business
壶　酒壶　flagon　水壶　kettle　暖壶　thermos bottle　油壶　oilcan
贴　贴身　next to the skin　贴心　intimate　贴近　press close to
　　津贴　subsidy　体贴　considerate　张贴　put up
罐　一罐茶叶　a canister of tea　罐头食品　tinned food

二　认读句子

Read the following sentences and try to understand them.

1. 这次你给我们提供了很大帮助，太感谢了。
   You've helped us a lot this time, and we're very grateful to you.
2. 上星期五晚上我去洛阳了，在那儿玩了两天，昨天刚回来。
   I went to Luoyang last Friday night, stayed there for two days enjoying myself and came back only yesterday.
3. 我们要采取一切办法，改变山区经济的落后状况。
   We'll take all measures to change the backward mountain ous regions.
4. 他们队最后只取得了铜牌，大家都觉得很遗憾。
   Everyone felt it a pity that their team had only won a bronze medal.

5. 那个孩子拿起话筒，给大家唱了一首英文歌。
The boy picked up the microphone and sang us an English song.
6. 写完信，贴上了邮票，他就把信放进了邮筒。
Having written the letter and stuck on a stamp to the envelope, he put the letter into the pillar-box.
7. 天安门广场中间是一座纪念碑。
In the center of Tian An Men Spuare is the monument.
8. 这双新皮鞋有点紧，我的脚都磨破了。
The new shoes are a bit tight and my feet are bruised.
9. 为了救那个落水的孩子，他自己牺牲了。
He sacrificed his life to save that child who had fallen into the river.
10. 前面那个楼正在施工，每天吵死了。
The building in front is under construction. It makes a hell of a lot of noise every day.
11. 毕业后，我一直在寻找工作，但是现在工作不好找。
Since graduation, I've been looking for a job, but it's not easy to find one.
12. 这几年，中国沿海地区经济发展很快。
Recent years have seen rapid economic development along China's coastal areas.
13. 那个孩子脚上穿了一双大人的塑料拖鞋。
The child is wearing a pair of adult's plastic slippers.
14. 他放弃了国内的工作来中国学习汉语。
He gave up his job in his country and came to China to learn Chinese.
15. 我这个手指头，以前打球的时候受过伤，现在还不太灵活。
This finger of mine was hurt when I played basketball before. Now it does not work easily.
16. 每个人都有信仰自由。
Eveybody enjoys freedom of belief.
17. 王玲正在等男朋友的电话，所以一听到电话铃响，就赶快跑过去接。
Wang Ling was waiting for her boyfriend's call. So she ran to answer the phone once the telephone bell rang.
18. 我是新司机，第一天开车的时候差点儿撞到人，吓得我一身冷汗。
Being a new driver, I almost ran into a person on the first day when I drove. And I was frightened to a cold sweat.

19. 这件旗袍你穿很贴身,不大也不小。
This mandarin gown fits you very well and is neither large nor small.

20. 别磨蹭了! 5号,快射门! 太好了! 球进了!
Stop dawdling and shoot quickly, No. 5! Great! It's in!

21. 那个山洞里放着很多砍下来的树。
In that cave lay a lot of trees which had been cut down.

22. 那个服务员一手提着茶壶,另一手端着茶杯,给大家送水来了。
The waitress brought water to us with a teapot in one hand and some cups in the other.

23. 他已经累得直喘气了,你别催他了,让他歇一会儿,你自己先爬上去吧!
He is so tired that he is gasping for breath. Don't push him. Let him have a rest. Climb up first by yourself, please.

24. 这些鞭炮和罐头食品都是为国庆节准备的,到时候你来跟我们一起过吧!
All these firecrackers and tinned food are prepared for National Day. Please join us on that day.

25. 我向妈妈恳求了半天,让我跟同学们一起去海南旅游,但是她不同意。
I implored my mother for a long time to allow me to take a trip to Hainan with my classmates. But she refused.

26. 这片森林的动物越来越少,因为它们生活的地方受到了人类(rénlèi)的侵犯,大片树林被砍倒了。
The animals in the forest are becoming fewer and fewer because their living conditions have been impaired by man after great stretches of woods have been cut down.

27. 昨天,外交部在记者招待会上发表了声明,抗议那些侵犯我国主权的行为。
Yesterday the Ministry of Foreign Affairs issued a statement at the press conference, protesting against those actions infring(ing) our country's sovereignty.

28. 我昨天不该对你发那么大脾气,我诚恳地请求你的原谅。
I shouldn't have flown into such a temper toward you yesterday. I sincerely ask for your forgiveness.

29. 干工作要是都像你这样挑肥拣瘦的,我这个当经理的还怎么安排工作?
If all the others pick the easier jobs as you, as a manager, how should I assign the jobs then?

30. 呀！屋子上、树上、地上都落满了雪花，真是一片银色的世界。
Oh, look! There are snowflakes on the roof of the houses, on the top of the trees and on the ground. It's really a silvery world.

自学园地

Corner for Self-study

一 给下列词语注音

Mark the following words with phonetic symbols.

拖鞋	鞭炮	话筒	磨蹭	包括
(　　)	(　　)	(　　)	(　　)	(　　)
牺牲	反抗	开端	冷冻	施工
(　　)	(　　)	(　　)	(　　)	(　　)

二 写出本课含有下列偏旁的汉字并注音

Write out the characters with the following radicals in this lesson, and mark them with the right phonetic symbols.

扌：____(　　) ____(　　) ____(　　) ____(　　) ____(　　)
亻：____(　　) ____(　　) ____(　　) ____(　　)
石：____(　　) ____(　　) ____(　　)
火：____(　　) ____(　　) ____(　　)
氵：____(　　) ____(　　)
钅：____(　　) ____(　　)
寸：____(　　) ____(　　)
牜：____(　　) ____(　　)
欠：____(　　) ____(　　)

三 在括号内加上合适的词语

Fill in the blanks with the right words and phrases.

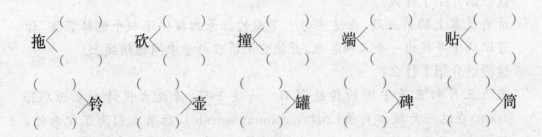

拖（　　）（　　）　　砍（　　）（　　）　　撞（　　）（　　）　　端（　　）（　　）　　贴（　　）（　　）

（　　）（　　）铃　　（　　）（　　）壶　　（　　）（　　）罐　　（　　）（　　）碑　　（　　）（　　）筒

四 根据意思把左右两栏连起来

Match the words in the left column with the ones on the right.

反抗	衣服	经济	自由
寻找	目标	头脑	诚恳
提供	洛阳	动作	磨蹭
夺取	敌人	态度	灵活
游览	头	信仰	落后
仰	铜牌		
烫	帮助		

五 阅读下列句子并回答问题

Read the following sentences and answer the questions accordingly.

1. 在小商店买东西的时候，如果店主发现你喜欢上某件商品，并且特别想买，那么无论你怎么砍价，他都不会降价。
   店主为什么不降价？
2. 这家商店经营范围广泛，包括服装、电器、日用百货等，经营方式也很灵活，当然会受到大家的欢迎。
   这家商店为什么受大家欢迎？
3. 其实不是孩子不听话，是你对孩子的要求太严格了。这也不让做，那也不准做，孩子不反抗才怪呢？

孩子会不会反抗？为什么？

4. 旗袍是妇女穿的一种长袍，原来是旗人（指满族妇女）的服装，所以叫旗袍。早期的旗袍衣身瘦长，后来汉族妇女也多穿旗袍，一般是紧腰身，两侧开叉，有长有短，一直流传至今。
这段话介绍了什么？

5. 请看试卷上的第五题，在这些句子下面的括号内提供了四个选择答案，你可以从中寻找出一个正确答案，并把它们填在句子中间的横线上。
这段话介绍了什么？

6. 农历五月初五是中国的传统节日——端午节，传说古代诗人屈原（Qū Yuán）在这一天投江自杀（zìshā，commit suicide），后来人们为了纪念他，就把这一天当做节日。在这一天，有吃粽子（zòngzi）、赛龙舟的习俗。
端午节是怎么来的？

7. 上飞机前，我还在想怎么消磨这十几个小时，可是当飞机降落时，我才发现，这十几个小时过得好快啊！
上飞机前他担心什么？

8. 门铃响起，妈妈打开门一看，大吃一惊，儿子和他的女朋友什么时候变成了这副样子：一个皮肤晒成了古铜色，一个烫着满头卷发。
妈妈为什么大吃一惊？

19 LESSON

第十九课

汉字园地

Corner for Chinese Characters

1. 筑	zhù	build
建筑	jiànzhù	architecture
2. 冲	chōng	flush; clash
冲洗	chōngxǐ	rinse; develop
冲浪	chōnglàng	surf
3. 朱	zhū	bright red
朱红色	zhūhóngsè	bright red
4. 株	zhū	a measure word for trees, etc.
一株桃树	yì zhū táoshù	a peach tree
5. 珠	zhū	ball
圆珠笔	yuánzhūbǐ	ball-point pen
珠宝	zhūbǎo	pearls and jewels
6. 殊	shū	not of the ordinary
特殊	tèshū	special
7. 辰	chén	hour
诞辰	dànchén	birthday
8. 晨	chén	morning
早晨	zǎochén	in the morning
9. 唇	chún	lip
嘴唇	zuǐchún	lips

10. 辟	bì	ward off
辟邪	bì xié	exorcise evil spirits
11. 避	bì	avoid
避免	bìmiǎn	avert
12. 壁	bì	wall
墙壁	qiángbì	wall
13. 胳	gē	arm
胳膊	gēbo	arm
14. 搁	gē	put；shelve
搁置	gēzhì	lay aside
15. 陈	chén	old
陈旧	chénjiù	old
16. 阵	zhèn	a period of time；battle formation
一阵风	yí zhèn fēng	a gust of wind
17. 杭	háng	short for Hangzhou
杭州	Hángzhōu	Hangzhou
18. 免	miǎn	exempt
免得	miǎnde	so as not to
不免	bùmiǎn	inevitably
免费	miǎn fèi	free of charge
19. 兔	tù	rabbit；hare
兔子	tùzi	rabbit；hare
20. 趟	tàng	a measure word for trip or trips made
去一趟	qù yí tàng	go there once
21. 幅	fú	a measure word for cloth, picture, etc.
一幅画	yì fú huà	a painting
幅度	fúdù	range
22. 郎	láng	young male
新郎	xīnláng	bridegroom
23. 朗	lǎng	loud and clear

	朗读	lǎngdú	read aloud
	开朗	kāilǎng	sanguine
24.	枪	qiāng	gun
	手枪	shǒuqiāng	pistol
25.	抢	qiǎng	seize; rush
	抢救	qiǎngjiù	rescue
	抢劫	qiǎngjié	rob
26.	塔	tǎ	tower
	铁塔	tiětǎ	iron tower
27.	搭	dā	take (a ship,plane,train,etc.)
	搭车	dā chē	get a lift
28.	肠	cháng	intestines
	香肠	xiāngcháng	sausage
29.	畅	chàng	smooth
	舒畅	shūchàng	entirely free from worry
30.	措	cuò	arrange
	措施	cuòshī	measure
31.	醋	cù	vinegar
	吃醋	chī cù	be jealous about
32.	博	bó	abundant
	博士	bóshì	doctor
	博物馆	bówùguǎn	museum
33.	膊	bó	arm
34.	浇	jiāo	water
	浇花	jiāo huā	water flowers
35.	绕	rào	move round
	围绕	wéirào	center on
36.	晓	xiǎo	understand
	晓得	xiǎode	understand

记忆窍门

Tips for Memorizing Work

一 形声字声旁记忆

Memorize the following characters with the given phonetic elements.

竹 zhú

(ˋ) 筑 建筑 jiànzhù architecture

中 zhōng

( ) 钟 ____

( ) 种 ____

(chōng) 冲 冲洗 chōngxǐ rinse

冲浪 chōnglàng surf

朱 zhū

(ˉ) 朱 朱红色 zhūhóngsè bright red

(ˉ) 株 一株桃树 yì zhū táoshù a peach tree

(ˉ) 珠 圆珠笔 yuánzhūbǐ ball-point pen

(shū) 殊 特殊 tèshū special

辰 chén

(ˊ) 辰 诞辰 dànchén birthday

(ˊ) 晨 早晨 zǎochén in the morning

(chún) 唇 嘴唇 zuǐchún lips

辟 bì

(ˋ) 辟 辟邪 bì xié exorcise evil spirits

(ˋ) 避 避免 bìmiǎn avert

(ˋ) 壁 墙壁 qiángbì wall

各 gè

( ) 格 ____

（－）胳　　胳膊　gēbo　　arm
（－）搁　　搁置　gēzhì　　lay aside
（　）客　＿＿＿＿＿＿＿＿＿＿
（　）路　＿＿＿＿＿＿＿＿＿＿

筑	冲	朱	株	珠	殊	辰	晨	唇	辟	避	壁	胳	搁

二　比较近音、同音字

Compare the following characters with similar and identical phonetic elements.

陈——阵

陈　chén　　陈旧　chénjiù　　old
阵　zhèn　　一阵风　yí zhèn fēng　　a gust of wind

航——杭

航　＿＿＿＿＿＿＿＿＿＿
杭　háng　　杭州　Hángzhōu　　Hangzhou

兔——免

兔　tù　　兔子　tùzi　　hare; rabbit
免　miǎn　　免费　miǎn fèi　　free of charge
　　　　免得　miǎnde　　so as not to
　　　　不免　bùmiǎn　　inevitably

躺——趟

躺　＿＿＿＿＿＿＿＿＿＿
趟　tàng　　去一趟　qù yí tàng　　go there once

福——富——副——幅

福　＿＿＿＿＿＿＿＿＿＿
富　＿＿＿＿＿＿＿＿＿＿
副　＿＿＿＿＿＿＿＿＿＿
幅　fú　　一幅画　yì fú huà　　a painting

郎——朗

郎	láng	新郎	xīnláng	bridegroom
朗	lǎng	朗读	lǎngdú	read aloud

枪——抢

枪	qiāng	手枪	shǒuqiāng	pistol
抢	qiǎng	抢救	qiǎngjiù	rescue

塔——搭

塔	tǎ	铁塔	tiětǎ	iron tower
搭	dā	搭车	dā chē	get a lift

场——肠——畅

场	______			
肠	cháng	香肠	xiāngcháng	sausage
畅	chàng	舒畅	shūchàng	entirely free from worry

错——措——醋

错	______			
措	cuò	措施	cuòshī	measure
醋	cù	吃醋	chī cù	be jealous about

傅——博——膊

傅	______			
博	bó	博物馆	bówùguǎn	museum
膊	bó	胳膊	gēbo	arm

烧——浇——绕——晓

烧	______			
浇	jiāo	浇花	jiāo huā	water flowers
绕	rào	围绕	wéirào	center on
晓	xiǎo	晓得	xiǎode	understand

陈	阵	杭	兔	免	趟	幅	郎	朗	枪	抢	塔	搭	肠
畅	措	醋	博	膊	浇	绕	晓						

活用园地

Corner for Flexible Usage

一 组词

Form words and phrases.

筑 筑路 construct a road 筑桥 build a bridge
上层建筑 super structure

钟 几点钟 what time is it 五点钟 5 o'clock 一分钟 a minute
一秒钟 a second 一个钟头 an hour 钟表 clock 时钟 clock
闹钟 alarm clock 台钟 desk clock 钟声 bell

冲 冲凉 have a cold shower 冲刷 rinse 冲厕所 flush the toilet
冲胶卷 develop films 冲击 impact 冲破 break through
冲突 conflict 冲动 impulse 气冲冲 in a huff
兴冲冲 excitedly

珠 珠宝 pearls and jewels 泪珠 teardrop 眼珠 eyeball

辰 星辰 stars 生辰 hour of birth 时辰 hour
良辰美景 a fine moment and a beautiful scene

晨 清晨 early in the morning

唇 唇膏 lipstick

避 避雨 take shelter from the rain 避风 shelter from the wind
避难 take refuge 躲避 avert 回避 evade 逃避 escape

壁 壁画 mural 壁灯 wall lamp 戈壁 the Gobi Desert
碰壁 run up against a stone wall 石壁 stone wall

陈 陈迹 a thing of the past 陈酒 old wine 陈米 old rice
推陈出新 get rid of the old and adopt the new
新陈代谢 metabolism

阵 一阵雨 a spatter of rain 一阵笑声 a burst of laughter
阵雨 shower 阵地 position 阵容 battle array 阵线 front
阵营 camp

兔 家兔 rabbit 野兔 hare

免 免票 free pass 免试 be excused from an examination

免除 exempt 免得 so as not to 不免 cannot help but
难免 hard to avoid 幸免 escape by sheer luck
闲人免进 no admittance except on business

趟 来一趟 come over 去过一趟 have been there once 这趟车 this train

副 副主席 vice-chairman 副主任 deputy director
副教授 associate professor 副班长 deputy class monitor
副作用 side effect 一副眼镜 a pair of glasses 副词 adverb
一副手套 a pair of gloves

幅 巨幅 a huge painting 篇幅 length of a piece of writing
升幅 range of increase 降幅 range of decrease

郎 情郎 girl's lover 牛郎织女 the Herd-boy and the Weaving-girl

朗 晴朗 sunny 明朗 clear

枪 枪手 gunner 枪声 shot 开枪 shoot
枪毙(bì) execute by shooting 枪支 guns

抢 抢购 rush to purchase 抢先 anticipate 抢时间 seize the time
抢走 snatch 抢眼 eye-catching

塔 水塔 water tower 金字塔 pyramid 铁塔 iron tower

搭 搭救 go to the rescue of 搭桥 build a bridge
搭话 make conversation 搭船 take the ship
搭飞机 take the plane

肠 肠子 intestines 肠胃 intestines and stomach; the digestive system
肠炎 enteritis 心肠 heart 热心肠 warm-hearted
铁石心肠 hard-hearted

畅 宽畅 happy 流畅 fluent 畅通 unimpeded
畅谈 talk freely and to one's heart's content
畅饮 drink to one's heart's content 畅游 enjoy a sightseeing tour

措 举措 measures 措手不及 be caught unprepared
手足无措 at a loss what to do 惊慌失措 frightened out of one's wits

博 博士 doctor 博览 read extensively 博学 learned
博爱 universal fraternity 博得 win 博彩 gambling industry
博导 supervisor of PHD 博士后 postdoctoral
广博 extensive 博学多才 learned and versatile
博古通今 erudite and informed

浇 浇水 water 浇地 irrigate the fields

绕　环绕 circle　围绕 centre on

晓　分晓 result　知晓 understand　天晓得 God knows

二 认读句子

Read the following sentences and try to understand them.

1. 他睁大眼睛,认真地看着墙壁上的那些壁画。
   He opened his eyes and examined those mural paintings on the wall very carefully.
2. 我家门前种着一株桃树,桃花开的时候,特别漂亮。
   There stands a peach tree in front of our house. When it is in blossom it is really beautiful.
3. 她性格开朗,对人总是笑眯眯的。
   She has an open and frank disposition and always smiles to others.
4. 她每天早晨绕着操场跑三圈。
   She runs three laps round the sports ground every morning.
5. 陈师傅正在冲洗厕所。
   Master Chen is giving a wash to the lavatory.
6. 这支圆珠笔的颜色我很喜欢,是朱红色的。
   I like the color of the ball-point pen, which is bright red.
7. 这个孩子的病很重,你们要对他进行特殊照顾。
   The boy is seriously ill, and you have to take special care of him.
8. 在贝多芬诞辰二百三十周年的时候,我们举行了一个音乐会。
   We held a concert on Beethoven's 230th birthday.
9. 一阵风刮来,那个孩子冻得嘴唇都紫了。
   The boy's lips turned blue with cold when a gust of wind blew over.
10. 昨天晚上跟朋友打保龄球了,今天胳膊就开始疼了。
    My arm is beginning to ache as I played bowling with my friends last night.
11. 学习汉语,困难是避免不了的。
    It is inevitable to run into difficulties when you learn Chinese.
12. 请你朗读一下这一段课文。
    Please read aloud this paragraph of the text.
13. 医生对他抢救了三个钟头,现在他终于醒过来了。
    Having received emergency treatment for three hours, he has regained his

consciousness at last.

14. 这座铁塔是世界上有名的建筑。

This iron tower is a world-renowned building in the world.

15. 天晓得,他这支手枪是从哪儿来的。

God knows where his handgun came from.

16. 他是我们学校的副校长。

He's the vice-president of our school.

17. 下星期,我要去一趟杭州。

I'll go on a trip to Hangzhou next week.

18. 这些家具已经很陈旧了,我们换一套吧。

The furniture is too old, and let's replace it for a new set.

19. 这儿的啤酒是免费的,你可以随便喝。

You could drink the beer freely, for it's free.

20. 他是我的邻居,我每天免费搭他的车来学校。

He's a neighbour of mine, who gives me a lift to school every day.

21. 啤酒放冰箱里了,先冷冻一下,我再去买点儿香肠来。

The beer has been placed in the fridge to freeze, and I'll get some sausages.

22. 老朱退休以后,每天在家养养鸟,浇浇花,心里很舒畅。

Having retired, Old Zhu looks after the birds, waters the flowers, feeling carefree and happy.

23. 在生活中,他女朋友就爱吃醋;在感情上,他女朋友就更爱吃醋,看到他跟别的女孩子在一起就不高兴。

In everyday life, his girlfriend likes vinegar; as regards emotional affairs she gets jealous easily and is unhappy when she sees him together with other girls.

24. 他们绕着山洞走了一圈,也没找到那个孩子。

They walked round the cave once and failed to find the boy.

25. 地球围绕太阳运转。

The earth revolves round the sun.

26. 今天我们去参观故宫博物馆。

We're going to visit the Palace Museum today.

27. 结婚的时候,结婚双方男的叫新郎,女的叫新娘。

When married, the man is called bridegroom while the woman bride.

28. 他的右胳膊受伤了,现在只能用左手吃饭。

His right arm is injured, and he has to eat with his left hand now.

29. 中国山西的醋比较有名。

The vinegar produced in Shanxi, China is rather famous.

30. 呀！屋子上、树上、地上都落满了雪花，真是一片银色的世界。

Oh, look! There are snowflakes on the roof of the houses, on top of the trees and on the ground. It is really a silvery world.

31. 我两个月以后再来中国，这些东西能不能先搁你这儿？

I'll be back in China in two months. Can I leave these things here?

32. 你听说过中国的成语故事"守株待兔"吗？

Have you heard of the story of the Chinese idiom standing by a tree stump and waiting for a have?

自学园地

Corner for Self-study

一 给下列词语注音

Mark the following words with the right phonetic symbols.

特殊	早晨	朗读	墙壁	香肠
( )	( )	( )	( )	( )
措施	珠宝	抢救	免费	新郎
( )	( )	( )	( )	( )

二 写出本课含有下列偏旁的汉字并注音

Write out the charactes with the following radicals in this lesson, and mark them with the right phonetic symbols.

扌：______( ) ______( ) ______( ) ______( )

月：______( ) ______( ) ______( ) ______( )

木：______( ) ______( ) ______( )

阝：______( ) ______( )

土：______( ) ______( )

日：______( ) ______( )

三 比较下列各组部件的异同，并根据拼音写出汉字

Compare the following sets of components and fill in the blanks with the right characters.

1.
- 良
  - (làng)____费
  - 一只(láng)____
- 艮
  - (jiān)____苦
  - (xiàn)____制
  - (kěn)____求
- 艮
  - 新(láng)____
  - (lǎng)____读
- 既
  - (jì)____然
  - (jí)____使

2.
- 戋
  - 贵(jiàn)____
  - 深(qiǎn)____
  - 光(xiàn)____
- 戈
  - (xì)____剧
  - 寻(zhǎo)____
- 戈
  - 围(rào)____
  - (xiǎo)____得
  - (jiāo)____花
- 弋
  - (dài)____表
  - 口(dài)____

3.
- 东
  - (chén)____旧
  - 冷(dòng)____
- 车
  - 一(zhèn)____雨
- 东
  - 锻(liàn)____
  - (liàn)____习

4.
- 勿
  - (hū)____然
  - 礼(wù)____
- 昜
  - 香(cháng)____
  - 欢(chàng)____
  - (tàng)____衣服

四 在括号内加上合适的词语

Fill in the blanks with the right words and phrases.

1. 避免<（ ）（ ）　朗读<（ ）（ ）　围绕<（ ）（ ）

冲洗<（ ）（ ）　抢救<（ ）（ ）　搁置<（ ）（ ）

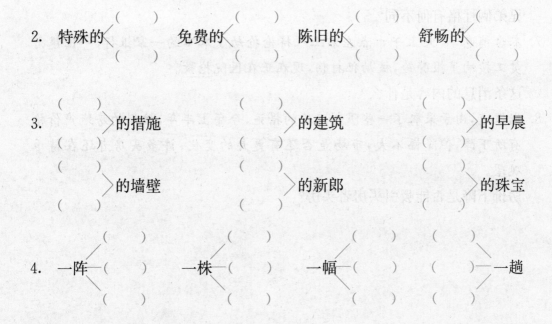

2. 特殊的<( )( ) 免费的<( )( ) 陈旧的<( )( ) 舒畅的<( )( )

3. ( )( )>的措施 ( )( )>的建筑 ( )( )>的早晨

( )( )>的墙壁 ( )( )>的新郎 ( )( )>的珠宝

4. 一阵—( )( )( ) 一株—( )( )( ) 一幅—( )( )( ) ( )( )( )—一趟

五 阅读下列句子并回答问题

Read the following sentences and answer the questions accordingly.

1. 博物馆正在举行珠宝展览,其中包括各种玉器。在中国人看来,玉器可以用来辟邪。
   在哪儿可以看到这些玉器?
2. 国庆节去杭州、洛阳的同学,可得提前买好回来的飞机票或火车票,免得到时候人太多,买不到票回不来。
   为什么要提前买好回来的票?
3. 这本书是十年前出版的,内容不免显得有些陈旧。
   这本书怎么样?
4. 当飞机的发动机出现问题时,幸好机长采取了紧急措施,从而避免了一起严重的飞行事故。
   为何会发生事故,又是如何避免的?
5. 挂在墙壁上的这幅画其实是我拍的一张照片,我把我拍的一些有名的建筑物的照片冲洗出来,从中挑选出特别满意的放大。怎么样,挺不错的吧?
   这幅画上面有什么?
6. 兄弟俩性格完全相反,哥哥好(hào)动,特别喜欢海上冲浪运动;弟弟好静,他也喜欢冲浪,只不过是网上冲浪,他是个网迷。

兄弟俩性格有何不同？

7. 本台消息，今天上午十点左右三人持枪抢劫了本市的一家银行，一位银行员工按响了报警铃，被劫犯打伤，现在正在医院抢救。

这条消息的内容是什么？

8. 据报道，由于采取了一些限制房价的措施，今年上半年，杭州的房地产价格有所下降，但降幅不大，市场是否还有更大的变化，许多买房者还在持币观望。

房价下降是否能吸引买房者买房？

20
LESSON

第二十课

汉字园地

Corner for Chinese Characters

1. 闷	①mēn	stuffy
闷热	mēnrè	sultry
	②mèn	in low spirits
闷闷不乐	mènmèn bú lè	depressed
沉闷	chénmèn	oppressive；depressed；withdrawn
2. 折	zhé	snap；break
打折	dǎ zhé	discount
3. 哲	zhé	wise
哲学	zhéxué	philosophy
4. 官	guān	official
官员	guānyuán	official
5. 管	guǎn	manage
管理	guǎnlǐ	manage
不管	bùguǎn	regardless of
6. 理	lǐ	reason；manage
道理	dàoli	reason
物理	wùlǐ	physics
理想	lǐxiǎng	ideal
理解	lǐjiě	understand；understanding
理由	lǐyóu	reason

理论	lǐlùn	theory
理发	lǐ fà	haircut
处理	chǔlǐ	deal with; dealing
整理	zhěnglǐ	put in order
合理	hélǐ	reasonable
真理	zhēnlǐ	truth
7. 厘	lí	centimetre
厘米	límǐ	centimetre
8. 递	dì	dispatch
递给	dìgěi	hand to
快递	kuàidì	express delivery
9. 梯	tī	stairs
电梯	diàntī	lift; elevator
楼梯	lóutī	stairs
10. 致	zhì	to
一致	yízhì	unanimous
导致	dǎozhì	lead to
11. 巨	jù	huge
巨大	jùdà	huge
艰巨	jiānjù	extremely difficult
12. 距	jù	be apart from
距离	jùlí	distance; be away from
13. 拒	jù	reject
拒绝	jùjué	refuse
14. 渠	qú	ditch
水渠	shuǐqú	canal
15. 值	zhí	worth; value; be on duty
值得	zhíde	worthwhile
价值	jiàzhí	worth
16. 植	zhí	plant
植物	zhíwù	plant

17. 置	zhì	put
位置	wèizhì	position
布置	bùzhì	arrange; decorate
18. 跪	guì	kneel
跪倒	guìdǎo	kneel down
19. 蹲	dūn	squat
蹲下	dūnxià	squat down
20. 跌	diē	fall
跌倒	diēdǎo	fall down
下跌	xiàdiē	(of price, etc.) fall
21. 眉	méi	brow
眉毛	méimao	brow
22 盼	pàn	look forward to
盼望	pànwàng	look forward to
23 丘	qiū	mound
沙丘	shāqiū	sand dune
24. 兵	bīng	soldier
当兵	dāng bīng	join the army
25. 监	jiān	jail; prison
监狱	jiānyù	jail; prison
26. 临	lín	face; be close to
临时	línshí	temporary
光临	guānglín	presence
27. 牵	qiān	pull
牵挂	qiānguà	worry
28. 盖	gài	cover; build
盖子	gàizi	cover
29. 益	yì	benefit
利益	lìyì	interest
日益	rìyì	day by day
公益	gōngyì	public welfare

有益	yǒuyì	beneficial
30. 含	hán	imply; keep in the mouth
含有	hányǒu	contain
含义	hányì	implication
31. 贪	tān	embezzle
贪污	tānwū	practise graft
贪心	tānxīn	greed; greedy
32. 修	xiū	modify
修理	xiūlǐ	repair
修改	xiūgǎi	revise
进修	jìnxiū	engage in advanced studies
33. 悠	yōu	remote in time or space
悠久	yōujiǔ	long
34. 麦	mài	wheat
麦克风	màikèfēng	microphone
35. 素	sù	basic element; plain; vegetable
色素	sèsù	pigment
因素	yīnsù	factor
吃素	chī sù	be a vegetarian
36. 毒	dú	poinson; poisonous; kill with poison
毒品	dúpǐn	drug
吸毒	xī dú	take drugs
消毒	xiāodú	disinfect
37. 刺	cì	splinter
刺激	cìjī	stimulate
38. 策	cè	strategy
政策	zhèngcè	policy
策划	cèhuà	plan

记忆窍门

Tips for Memorizing Work

一 形声字声旁记忆

Memorize the following characters with the given phonetic elements.

门 mén

( ) 们 ______

(ˉ) 闷 闷热 mēnrè sultry

(ˋ) 闷闷不乐 mènmèn bú lè depressed

沉闷 chénmèn oppressive; depressed; withdrawn

( ) 问 ______

( ) 闻 ______

折 zhé

(ˊ) 折 打折 dǎ zhé discount

(ˊ) 哲 哲学 zhéxué philosophy

官 guān

(ˉ) 官 官员 guānyuán official

( ) 馆 ______

(ˇ) 管 不管 bùguǎn regardless of

管理 guǎnlǐ manage

里 lǐ

(ˇ) 理 道理 dàoli reason

(ˊ) 厘 厘米 límǐ centimeter

弟 dì

( ) 第 ______

(ˋ) 递 递给 dìgěi hand something to

快递 kuàidì express delivery

	(tī)	梯	电梯	diàntī	elevator
			楼梯	lóutī	stairs
至	zhì				
	( )	至	____		
	(ˋ)	致	一致	yízhì	unanimous
			导致	dǎozhì	lead to
巨	jù				
	(ˋ)	距	距离	jùlí	distance; be away from
	(ˋ)	拒	拒绝	jùjué	refuse
	(qú)	渠	水渠	shuǐqú	canal
直	zhí				
	(ˊ)	值	值得	zhíde	worthwhile
			价值	jiàzhí	worth
	(ˊ)	植	植物	zhíwù	plant
	(ˋ)	置	位置	wèizhì	position
			布置	bùzhì	arrange; decorate

闷 折 哲 官 管 理 厘 递 梯 致 距 拒 渠 值 植 置

二、形声字形旁记忆

Memorize the following characters with the given pictographic elements.

⻊——	跪	guì	跪倒	guìdǎo	kneel down
	蹲	dūn	蹲下	dūnxià	squat down
	跌	diē	跌倒	diēdǎo	fall down
			下跌	xiàdiē	(of price, etc.) fall
目——	眉	méi	眉毛	méimao	brow
	盼	pàn	盼望	pànwàng	look forward to

跪 蹲 跌 眉 盼

三 比较下列形近字

Compare the following characters with similar pictographic elements.

丘——兵

丘	qiū	沙丘	shāqiū	sand dune
兵	bīng	当兵	dāng bīng	join the army

监——临

监	jiān	监狱	jiānyù	jail；prison
临	lín	临时	línshí	temporary
		光临	guānglín	presence

牢——牵

牢	______			
牵	qiān	牵挂	qiānguà	worry

盖——益

盖	gài	盖子	gàizi	cover
益	yì	利益	lìyì	interest
		日益	rìyì	day by day
		公益	gōngyì	public welfare
		有益	yǒuyì	beneficial

含——贪

含	hán	含有	hányǒu	contain
		含义	hányì	implication
贪	tān	贪污	tānwū	practise graft
		贪心	tānxīn	greed；greedy

修——悠

修	xiū	修理	xiūlǐ	repair
		修改	xiūgǎi	revise
		进修	jìnxiū	engage in advanced studies

悠	yōu	悠久	yōujiǔ	long

麦——素——毒

麦	mài	麦克风	màikèfēng	microphone
素	sù	因素	yīnsù	factor
		吃素	chī sù	be a vegetarian
		色素	sèsù	pigment
毒	dú	毒品	dúpǐn	drug
		吸毒	xīdú	take drugs
		消毒	xiāodú	disinfect

刺——策

刺	cì	刺激	cìjī	incentive
策	cè	政策	zhèngcè	policy
		策划	cèhuà	plan

丘	兵	监	临	牵	盖	益	含	贪	修	悠	麦	素	毒
刺	策												

活用园地

Corner for Flexible Usage

一 组词

Form words and phrases.

闷 ①mēn

空气很闷 it is stuffy 闷在心里 keep everything to oneself

②mèn

生闷气 be sulky 苦闷 feeling low 沉闷 gloomy

闷死了 extremely bored

折 折合 convert into 折磨 torment 折断 snap 折纸 paper folding

周折 setbacks 存折 bankbook 曲折 twists and turns

骨折 fracture 转折 a turn in the course of events
哲 哲人 philosopher 先哲 a great thinker of the past
官 官方 official 法官 judge 外交官 diplomat
军官 officer 官司 lawsuit 器官 organ
管 管理 manage 管家 butler 管用 effective 保管 take care
管子 pipe 水管 waterpipe 血管 blood vessel 管道 pipeline
电子管 electron tube 显像管 kinescope
理 心理 psychology 地理 geography 办理 deal with
代理 act as agent 定理 theorem 清理 put in order
情理 reason 条理 orderliness 推理 inference
理会 take notice of 理事 member of a council
理所当然 of course 理直气壮 with perfect assurance
递 传递 pass on 邮递员 postman 递减 decrease little by little
递增 increase little by little 递交 present
梯 梯子 ladder 阶梯 stairs 楼梯 staircase 扶梯 staircase
滚梯 escalator
致 致谢 express thanks to 致电 send a telegraph to 致敬 salute
致词 make a speech 致使 cause 致富 become rich
大致 roughly 精致 exquisite 细致 meticulous
言行一致 one's actions are in keeping with one's promises
巨 巨人 giant 巨头 magnate 巨著 monumental work
巨变 great changes 巨款 a large sum of money
距 差距 gap
拒 拒不认错 refuse to admit one's mistakes
渠 沟渠 ditch 河渠 rivers and canals 渠道 channel
水到渠成 when conditions are ripe, success is achieved
值 值钱 valuable 值班 be on duty 值日 be on duty for the day
产值 output value 价值连城 priceless
置 布置 arrange 安置 settle 处置 handle with
设置 configuration 装置 install
难以置信 hard to believe 置之不理 pay no heed to
跪 跪下 kneel down
跌 跌伤 fall and get hurt 下跌 drop

眉 眉头 brows 眉目 features 眉笔 eyebrow pencil
浓眉 thick eyebrows 火烧眉毛 most urgent 眉开眼笑 be all smiles
眉飞色舞 enraptured

盼 盼着 look forward to 有盼头 become hopeful

丘 土丘 mound

兵 士兵 soldier 步兵 infantry 炮兵 artillery 伞兵 paratrooper
卫兵 guard 兵器 weaponry 兵力 military strength
纸上谈兵 fight only on paper

监 监视 keep watch on 监考 invigilate 监护人 guardian
监察 supervise 监守 have custody of 监牢 jail

临 临近 round the corner 临死 on one's deathbed
临走 on leaving 临街 facing the street 临别 at parting
临床 clinical 临睡 before going to bed 降临 befall
临终 approaching one's end 来临 arrive 面临 be faced with

牵 牵手 hand in hand 牵引 tow 牵肠挂肚 feel deep anxiety

盖 瓶盖 cap of a bottle 盖章 affix one's seal
盖房子 build a house

益 权益 rights and interests 效益 beneficial results
公益 pubilc welfare 有益 beneficial
益处 benefit 益友 friend and mentor 益鸟 beneficial bird
益虫 beneficial insect 良师益友 good teacher and helpful friend

含 含义 implication 包含 contain 含量 content
含着眼泪 with tears

贪 贪心 greedy 贪便宜 keen on gain petty advantages
贪小失大 covet a little and lose a lot
起早贪黑 work from dawn to dusk

修 修建 build 修筑 build 修订 revise 修正 revise 修女 nun
修复 restore 修养 accomplishment 修道院 monastery

悠 悠远 along time ago 悠长 long 悠着点儿 take it easy
悠然自得 be carefree and content

麦 麦子 wheat 麦芽 malt 麦苗 wheat seedling 大麦 barley
小麦 wheat 麦片粥 oatmeal porridge

素 要素 basic element 素质 quality 素菜 vegetable dish

素来 usually 素描 sketch 素不相识 have never met

毒 毒害 poison 毒性 poisonousness 毒气 poisonous gas
毒药 poison 毒草 poisonous weed
毒蛇 poisonous snake 病毒 virus 无毒 nonpoisonous
中毒 be poisoned 消毒 disinfect

刺 鱼刺 fishbone 刺鼻 irritate the nose 刺客 assassin
刺儿头 a person hard to deal with

策 计策 tactics 决策 policy decision 国策 state policy
失策 err in tactics 束手无策 be at a loss what to do
献计献策 suggest ways and means 策划 scheme

二 认读句子

Read the following sentences and try to understand them.

1. 天气极其闷热,大家都盼望能下一场大雨。
It's so stuffy and everyone hopes that we can have a big rainfall.
2. 上大学的时候,我学的是哲学。
I studied philosophy at university.
3. 你怎么总是闷闷不乐的?
Why are you always in a low spirits?
4. 这些衣服只是在节日的时候临时打折,质量还是不错的。
These clothes are sold at a discount only on holidays. They're of fine quality.
5. 这一片沙丘,除了这种草以外,几乎没有别的植物了。
Except this kind of grass,there are no other plants on these sand dunes.
6. 那个孩子跌倒了,快去把他扶起来!
The boy fell down. Please hurry and help him up.
7. 那家饭店的位置很好,所以生意不错。
The restaurant is situated at an advantageous position,and it does good business.
8. 他踢进一个球,激动极了,一下子跪倒在足球场上。
He scored a goal and knelt down on the football field all of a sudden with too much exitement.

9. 为了一点儿小事生气，不值得。

It is not worthwhile to get angry for trifles.

10. 请递给我一支笔。

Please pass me a pen.

11. 大家一致同意他的意见。

Everybody agreed to his suggestion unanimously.

12. 吸烟对身体有害无益。

Smoking is definitely harmful to one's health.

13. 这种饮料不含有任何色素。

This kind of drink contains no pigment.

14. 博物馆里的这些东西，历史已经很悠久了。

These exhibits in the museum have a long history.

15. 中国改革开放的政策，刺激了经济的发展，特别是东南沿海地区。

China's reform and opening policy has stimulated the development of her economy, especially economy in her southeastern coastal areas.

16. 师傅，我的自行车漏气了，请你帮我修理一下。

Master, I have a flat tire. Please repair it for me.

17. 都火烧眉毛了，你怎么还在睡觉？

It's a matter of utmost urgency. How can you be still in bed?

18. 每个人都应该拒绝毒品，尤其是年轻人。

Everybody should reject drugs, especially young people.

19. 这两所大学距离很近。

The two universities are located very near from each other.

20. 这些官员因为贪污被送进了监狱。

These officials were put in jail because of corruption.

21. 不管怎么样，你都不该打孩子，应该跟他讲道理。

In any case you shouldn't have beaten your child. You should have reasoned with him.

22. 电梯怎么突然停了？

Why has the lift suddenly stopped?

23. 我们一起照张相，前排的人蹲下，大家靠近点儿。

Let's take a group photo. Those in the first row please squat down, and let's draw closer.

24. 这个盖子打不开，你能不能帮一下忙？

I can't open the lid. Can you help me?

25. 我来中国以后,我妈妈对我很<u>牵挂</u>,要求我一个星期打一次电话。
Since I came to China, my mother has been worried about me. She asks me to call her once a week.

26. 他身高185<u>厘米</u>,他哥哥比他还高。
He's 1.85 meters tall, and his elder brother is even taller.

27. 他走到<u>麦克风</u>前,大声地说:"女士们,先生们,欢迎你们<u>光临</u>!"
He walked to the microphone and said in a loud voice, "Ladies and gentlemen, welcome!"

28. 他还记得,小时候常在村边的<u>水渠</u>里抓鱼。
He still remembers that he often caught fish in the ditch near the village when he was a child.

29. 这两年,我们国家经济发展迅速,很多方面都取得了<u>巨大</u>的成绩。
These two years have witnessed rapid economic development as well as great achievements in many fields in our country.

30. 几年前,他听了一个有关保护动物的报告。报告中说:人类为了获得更大的经济<u>利益</u>,正在大量地捕杀(bǔshā)动物,<u>导致</u>世界上的动物数量<u>日益</u>减少,从此他便开始<u>吃素</u>。
A few years ago, he attended a lecture on protecting the animal, which said that man is killing a large number of animals to gain more economic interests so that the number of the animals in the world is decreasing day by day. Since then he has been a vegetarian.

自学园地

Corner for Self-study

一 给下列词语注音

Mark the following words with the right phonetic symbols.

哲学	毒品	临时	楼梯	位置
(　　)	(　　)	(　　)	(　　)	(　　)
麦克风	进修	价值	消毒	日益
(　　)	(　　)	(　　)	(　　)	(　　)

二 写出本课含有下列偏旁的汉字

Write out the characters with the following radicals in this lesson.

⻊:(jù)______ (guì)______ (dūn)______ (diē)______
皿:(jiān)______ (yì)______ (gài)______
木:(zhí)______ (tī)______ (qú)______
亻:(xiū)______ (zhí)______
扌:(jù)______ (zhé)______
⺮:(guǎn)______ (cè)______
目:(pàn)______ (méi)______

三 比较下列各组部件的异同,并根据拼音写出汉字

Compare the following sets of components and fill in the blanks with the right characters.

1. 巨:(jù)______绝
   㠯:(guǎn)______理
2. 束:(sù)______度
   朿:(cì)______激
3. 斥:告(sù)______
   斤:打(zhé)______
4. 罒:(lín)______时
   皿:有(yì)______

四 在括号内加上合适的词语

Fill in the blanks with the right words and phrases.

一致的(　　)　　(　　)的理由　　处理(　　)
巨大的(　　)　　(　　)的毒品　　整理(　　)
悠久的(　　)　　(　　)的利益　　修理(　　)
合理的(　　)　　(　　)的理想　　管理(　　)
艰巨的(　　)　　(　　)的监狱　　修改(　　)

五 阅读下列句子并回答问题

Read the following sentences and answer the questions accordingly.

1. 有一天,孩子回家对我发牢骚:“我真不能理解,老师为什么每天要给我们布置那么多的作业,真的有那么多作业值得我们做吗?”
   孩子为什么发牢骚?
2. 他从小性格沉闷,小时候的理想是当一个像爱因斯坦一样伟大的物理学家,而现在他只是个汽车修理工,性格则变得越发地沉闷。
   他小时候的理想是什么?
3. 真没想到,这些年轻人仅仅是因为好玩儿就去吸毒,而正是因为吸毒,导致了一些家庭家破人亡。
   这些年轻人为什么吸毒?
4. 刚才电视里的那个公益广告就是我们公司策划的。当时老板要求我们一周内完成,时间紧,任务艰巨,没办法,我们只好临时加班,终于在一个星期内完成了。
   他们在谈什么?
5. 一件快递要 20 块钱,你们的价格也太不合理了,其他的快递公司才 10 块钱。
   为什么觉得快递的价格不合理?
6. 那条街上有两家理发店,我刚走到第一家门口,里边一位漂亮的服务员就笑脸迎了出来:“欢迎光临!”我无法拒绝她的热情,就走了进去。
   “我”为什么进了第一家理发店?
7. 真理不一定都掌握在多数人手中,所以你没有理由这么快就放弃自己的意见。
   他为什么这么快就放弃了自己的意见?
8. 导致房地产价格下跌有很多因素,最近政府有关房地产政策的变动就是其中之一。
   政府对房地产政策的一些改变有没有影响到房地产的价格?
9. 你抓紧时间把你的论文内容重新整理一下,特别是有关经济管理理论这一部分,还要作一些修改。
   这篇论文什么地方需要修改?
10. 这些碗筷都是经过消毒处理的,你不用担心。
    他在担心什么?

21
LESSON

第二十一课

汉字园地

Corner for Chinese Characters

1. 嘿	hēi	hey
2. 呀	ya	an exclamation
3. 芽	yá	sprout
发芽	fā yá	sprout
4. 渔	yú	fishing
渔民	yúmín	fisherman
5. 胡	hú	recklessly; moustache
胡子	húzi	beard
胡同儿	hútòngr	lane; alley
胡说八道	hú shuō bā dào	nonsense
6. 霉	méi	mouldy
倒霉	dǎoméi	have bad luck
发霉	fā méi	go mouldy
7. 梅	méi	plum
梅花	méihuā	plum blossom
8. 莓	méi	certain kinds of berries
草莓	cǎoméi	strawberry
9. 疯	fēng	crazy
疯子	fēngzi	madman
疯牛病	fēngniúbìng	mad cow disease

10.	讽	fěng	irony
	讽刺	fěngcì	irony; sarcasm
11.	侯	Hóu	a surname
12.	猴	hóu	monkey
	猴子	hóuzi	monkey
13.	喉	hóu	larynx; throat
	歌喉	gēhóu	voice
14.	咙	lóng	throat
	喉咙	hóulóng	throat
15.	笼	lóng	cage; coop
	灯笼	dēnglong	lantern
16.	促	cù	promote; hurried
	促进	cùjìn	promote
17.	捉	zhuō	get hold of
	捉住	zhuōzhù	catch
18.	娶	qǔ	marry
	娶妻	qǔ qī	take a wife
19.	聚	jù	gather
	聚集	jùjí	gather
	聚会	jùhuì	gathering
	聚焦	jùjiāo	focus
20.	坦	tǎn	candid
	坦白	tǎnbái	frank
	坦率	tǎnshuài	candid; straightforward
21.	漆	qī	lacquer
	油漆	yóuqī	paint
22.	膝	xī	knee
	膝盖	xīgài	knee
23.	滩	tān	beach
	海滩	hǎitān	beach
	抢滩	qiǎngtān	forestall

24. 摊	tān	stall
摆摊儿	bǎi tānr	set up a stall
25. 溜	liū	slip
溜冰场	liūbīngchǎng	skating rink
26. 浑	hún	all over
浑身	húnshēn	all over
27. 混	hùn	mix
混乱	hùnluàn	confusion
28. 搅	jiǎo	stir
打搅	dǎjiǎo	disturb
29. 摄	shè	take a photograph of
摄影	shèyǐng	take a photograph
摄像机	shèxiàngjī	video camera or TV camera
30. 咸	xián	salty
咸菜	xiáncài	salted vegetable
31. 余	yú	surplus;spare
其余	qíyú	the rest
业余	yèyú	spare time
32. 斜	xié	slanting
斜躺	xié tǎng	recline
33. 戒	jiè	ring;give up
戒指	jièzhi	ring
戒烟	jiè yān	give up smoking
34. 械	xiè	machinery
机械	jīxiè	machinery
35. 艳	yàn	bright
鲜艳	xiānyàn	colorful
36. 巷	xiàng	lane
街头巷尾	jiē tóu xiàng wěi	streets and lanes
37. 港	gǎng	port
港口	gǎngkǒu	port
香港	Xiānggǎng	Hong Kong
港币	gǎngbì	Hong Kong dollar

记忆窍门

Tips for Memorizing Work

一 形声字声旁记忆

Memorize the following characters with the given phonetic elements.

黑 hēi

(ˉ) 嘿 嘿，你也来了！Hey, you're here, too.

嘿，小李，我们快走吧。Hi, Xiao Li, let's go, quick!

牙 yá

( ) 呀 你怎么没去呀？Why, you didn't go?

(ˊ) 芽 发芽 fā yá sprout

鱼 yú

(ˊ) 渔 渔民 yúmín fisherman

胡 hú

(ˊ) 胡 胡子 húzi beard

胡同儿 hútòngr lane; alley

胡说八道 hú shuō bā dào nonsense

( ) 湖

每 měi

(ˊ) 霉 倒霉 dǎoméi have bad luck

发霉 fā méi go mouldy

(ˊ) 梅 梅花 méihuā plum blossom

(ˊ) 莓 草莓 cǎoméi strawberry

风 fēng

(ˉ) 疯 疯子 fēngzi madman

疯牛病 fēngniúbìng mad cow disease

（ˇ） 讽 讽刺 fěngcì irony；sarcasm

侯 hóu

（ˊ） 侯 Hóu a surname

（ˊ） 猴 猴子 hóuzi monkey

（ˊ） 喉 歌喉 gēhóu voice

（ ） 候 ______

龙 lóng

（ˊ） 咙 喉咙 hóulóng throat

（ˊ） 笼 灯笼 dēnglong lantern

嘿	呀	芽	渔	胡	霉	梅	莓	疯	讽	侯	猴	喉	咙	笼

二 形声字形旁记忆

Memorize the following characters with the given pictographic elements.

氵——溜 liū 溜冰场 liūbīngchǎng skating rink

浑 hún 浑身 húnshēn all over

混 hùn 混乱 hùnluàn confusion

扌——搅 jiǎo 打搅 dǎjiǎo disturb

摄 shè 摄影 shèyǐng take a photograph

摄像机 shèxiàngjī video camera or TV camera

溜	浑	混	搅	摄

三 比较下列形近字

Compare the following characters with similar pictographic elements.

促——捉

促 cù 促进 cùjìn promote

捉	zhuō	捉住	zhuōzhù	catch

趣——娶——聚

趣				
娶	qǔ	娶妻	qǔ qī	take a wife
聚	jù	聚集	jùjí	gather
		聚会	jùhuì	gathering
		聚焦	jùjiāo	focus

担——胆——坦

担				
胆				
坦	tǎn	坦白	tǎnbái	frank

漆——膝

漆	qī	油漆	yóuqī	paint
膝	xī	膝盖	xīgài	knee

滩——摊

滩	tān	海滩	hǎitān	beach
		抢滩	qiǎngtān	forestall
摊	tān	摆摊儿	bǎi tānr	set up a stall

促	捉	娶	聚	坦	漆	膝	滩	摊

四 基本字带字

Memorize the following characters with the given basic elements.

咸——减——喊——感——憾

咸	xián	咸菜 xiáncài	salted vegetable
减			
喊			
感			
憾			

余——斜

余	yú	其余	qíyú	the rest
		业余	yèyú	spare time
斜	xié	斜躺	xiétǎng	recline

戒——械

戒	jiè	戒指	jièzhi	ring
		戒烟	jiè yān	give up smoking
械	xiè	机械	jīxiè	machinery

色——艳

色 ______________________________

艳	yàn	鲜艳	xiānyàn	colorful

巷——港

巷	xiàng	街头巷尾	jiē tóu xiàng wěi	streets and lanes
港	gǎng	港口	gǎngkǒu	port
		香港	Xiānggǎng	Hong Kong
		港币	gǎngbì	Hong Kong dollar

咸	余	斜	戒	械	艳	巷	港

活用园地

Corner for Flexible Usage

一 组词

Form words and phrases.

芽　豆芽 bean sprouts　幼芽 young shoots

渔　渔夫 fisherman　渔船 fishing boat　渔场 fishing ground

　　渔业 fishery　渔网 net

淋　淋湿 get wet in the rain

胡　胡吹 brag　胡闹 make trouble　胡说 gibber　胡乱 wildly

胡来 fool with sth. 胡言乱语 rave 胡须 beard
胡思乱想 give way to foolish fancies 胡子 moustache

疯 疯狂 crazy 发疯 go mad 疯人院 lunatic asylum

笼 笼子 cage 鸟笼 birdcage 鸡笼 chicken coop

溜 溜冰 skate 溜走 slip away 光溜 smooth 顺溜 fluent

浑 浑厚 simple and honest 浑朴 simple and natural 浑蛋 scoundrel
浑然一体 one integrated mass 浑水摸鱼 fish in troubled waters

混 混合 mingle 混杂 mix 混入 infiltrate 混血儿 half-breed
混纺 blending 鬼混 lead a loose life
含混 ambiguous 蒙混 deceive or mislead people
混为一谈 lump together

搅 搅动 mix 搅和 mess up 搅乱 confuse

摄 摄影机 camera 拍摄 take photos

促 促使 impel 急促 hurried 局促 awkward

聚 聚餐 gather for a feast 聚集 gather 聚居 live together
欢聚 happy reunion 聚精会神 concentrate one's attention

坦 坦克 tank 坦率 frank 平坦 smooth; even 舒坦 comfortable

漆 喷漆 spray paint 漆黑 pitch-dark 漆器 lacquerware
漆皮 coat of paint 如胶似漆 stick to each other like glue or lacquer

膝 膝下 at one's knees 护膝 kneepad 屈膝 bend one's knees
盘膝 cross one's legs

滩 河滩 beach 沙滩 sand beach 浅滩 shoal 险滩 dangerous shoal

摊 摊开 spread out 分摊 share
地摊儿 street vender's stall 报摊 news-stand

余 业余 amateur 有余 have a surplus 余粮 surplus grain
余生 the rest of one's life 余数 remainder 余地 room
余款 spare money 余钱 spare cash 多余 superfluous
富余 well-to-do 剩余 surplus 课余 after class
工作之余 after work

斜 斜线 oblique line 斜路 wrong path 斜面 inclined plane
斜射 oblique fire 斜视 look sideways 斜阳 the setting sun
歪斜 crooked 斜着头 tilt one's head 斜着眼睛 look sideways

戒 戒酒 give up drinking 戒心 vigilance 戒除 give up
戒严 enforce martial law 戒律 religious discipline 警戒 warn

	劝戒 admonish 引以为戒 draw a lesson from	
械	器械 apparatus 枪械 firearms 军械 ordnance	
	械斗 group fight with weapons	
艳	浓艳 rich and gaudy 红艳艳 bright red 艳丽 gorgeous	
	艳阳天 bright spring day 艳情 erotic	
巷	巷子 lane 小巷 small lane 街谈巷议 gossip	
港	港口 port 港务 port affairs 海港 harbour	
	军港 naval port 油港 oil port 渔港 fishing port	

二 认读句子

Read the following sentences and try to understand them.

1. 这个渔夫靠打鱼为生，生活过得不错，还娶了一位年轻漂亮的妻子。
   This fisherman lives by fishing and he is quite well off. And he has married to a young and beautiful wife.
2. 这些土豆都发芽了，不能吃了。
   These potatoes have germinated, and are not edible.
3. 真倒霉，刚才下雨的时候，我没带伞，浑身都淋湿了。
   What lousy luck! When it rained just now, I didn't have an umbrella with me and I got wet all over in the rain.
4. 这个人真可恶，一天到晚胡说八道。
   This person is really disgusting. He talks nonsense all day long.
5. 真倒霉，今天路上交通太挤，我没赶上飞机。
   I was really unfortunate to have been held up by traffic jams and missed the plane.
6. 植物园里的梅花开了，周末我们一起去看看吧。
   The plums are in blossom in the botanic garden. Let's go and watch them this weekend.
7. 春节的时候，草莓很贵，要 10 块钱一斤。
   Strawberries are very expensive during the Spring Festival, costing 10 *yuan* one *jin*.
8. 这两天我喉咙疼，医生给我开了点药，还让我多喝水。
   I have had a sore throat these two days. The doctor gave me some medicine and asked me to drink much water.

9. 嘿,她的歌喉还真不错。
Hey, she has a really good voice.
10. 你愿意参加我们的聚会吗?
Would you like to join us at the gathering?
11. 坦白地说,我不同意你的意见。
Frankly speaking, I don't agree with you.
12. 楼梯扶手上的油漆还没干,你小心点儿。
Be careful. The paint on the banister is still wet.
13. 孩子正坐在妈妈的膝盖上听妈妈讲猴子的故事呢。
The child is sitting on his mother's lap, listening to her story about a monkey.
14. 学校门口有许多水果摊儿。
There are lots of fruit stalls at the school gate.
15. 她站在海滩上照的那张照片很漂亮。
The picture, in which she is standing on the beach, is really beautiful.
16. 学校附近有个溜冰场,我们经常去那儿溜冰。
There's a skating rink near our school, and we often go skating there.
17. 这个城市的交通很混乱。
The traffic in this town is in utter confusion.
18. 这么晚给周老师打电话,会不会打搅他?
I'm not sure if it will disturb Mr. Zhou to call him at such an hour.
19. 他是一位摄影记者。
He is a photographic reporter.
20. 这条裙子颜色太鲜艳了,我这么大年纪的人穿不合适。
The color of this skirt is too bright. It does not fit people of my age.
21. 昨天的考试我有两道题做错了,其余的都做对了。
I gave the correct answers to all the problems in the exam except for two yesterday.
22. 他正斜躺在沙发上看电视。
He is reclining on a sofa, watching TV.
23. 很多工厂现在都是机械化生产,所以不需要那么多工人了。
A lot of factories are carrying on mechanized production and they don't need so many workers.
24. 新郎正在给新娘戴结婚戒指。
The bridegroom is wearing a wedding ring on the bride's finger.

25. 在节日的时候，这里的街头巷尾都挂满了灯笼。
Lanterns are hanging all over the streets and lanes during the holidays.
26. 香港是世界上最繁忙的港口之一。
Hong Kong is one of the world's busiest ports.
27. 一群可爱的孩子正在海滩玩沙子。
A group of lovely children are playing with sand on the beach.
28. 那个孩子捉住了一只刚刚出生的小鸟。
The boy has caught a newly born bird.
29. 总统的这次访问，一定会大大促进两国人民之间的友谊。
The President's visit will surely promote the friendship between the peoples of the two nations .
30. 你疯了，就这件衣服也值三千港币？
Are you crazy? Is this piece of clothing worth 3,000 Hong Kong dollars?

自学园地

Corner for Sefl-study

一 给下列词语注音

Mark the following words with the right phonetic symbols.

打搅	海滩	混乱	草莓	猴子
(　　)	(　　)	(　　)	(　　)	(　　)
摄像机	其余	香港	讽刺	胡同
(　　)	(　　)	(　　)	(　　)	(　　)

二 写出本课含有下列偏旁的汉字

Write out the characters with the following radicals in this lesson.

氵(gǎng) ______ (hún) ______ (qī) ______ (yú) ______
(hùn) ______ (liū) ______ (tán) ______ (lín) ______
扌(jiǎo) ______ (tān) ______ (shè) ______

三 在括号内加上合适的词语

Fill in the blanks with the right words and phrases.

倒霉的(　　)	(　　)的海滩	混乱的(　　)	(　　)的戒指
业余的(　　)	(　　)的猴子	鲜艳的(　　)	(　　)的港口
发芽的(　　)	(　　)的聚会		

四 根据意思把左右两栏连起来

Marcth the words on the left column with the ones on the right.

发	摊
淋	芽
摆	烟
捉	雨
戒	鸟

五 阅读句子并回答问题

Read the following sentences and answer the questions accordingly.

1. 这些咸菜都发霉了,冰箱里其余的菜也坏了,我上个星期出差,差不多一个星期没在家。
   为什么冰箱里的菜都坏了?
2. 那儿怎么聚集了那么多人?原来他们正在观看猴子表演。
   为什么那儿聚集了很多人?
3. 我父亲不但吸烟,而且吸了二十多年,却在几天内就把烟戒了,谁说戒烟难?
   "我"觉得戒烟难不难?为什么?
4. 摄影是他的业余爱好,一有空,他就拿着摄像机在胡同里逛来逛去,他想自己制作一个有关北京胡同的DV短片。
   他为什么常拿着摄像机在胡同里逛?

5. 每天一大早，这些小鸟就聚集在我窗前的树上，不停地展示它们的歌喉，吵得我睡不着觉。

   他为什么睡不着觉？

6. 2008年，世界将聚焦中国。还记得申奥时的那句口号："世界给中国一个机会，中国将给世界一个惊喜。"为了这个惊喜，北京2008奥运工程将从现在起全面启动。

   这句话报道了什么？

7. 随着进入WTO后，众多国际名牌纷纷抢滩中国市场，国内厂家已经面临着前所未有的全球化竞争。坦率地说，面对这种竞争，我们的企(qǐ)业不改变策略是行不通的。

   为什么企业要改变策略？

LESSON 22

第二十二课

汉字园地

Corner for Chinese Characters

1. 仔	①zǐ	young
仔细	zǐxì	careful
	②zǎi	whelp
牛仔裤	niúzǎikù	jeans
打工仔	dǎgōngzǎi	The young workers out of home
2. 贯	guàn	pass through
一贯	yíguàn	always
贯彻	guànchè	carry out
3. 欺	qī	deceive
欺骗	qīpiàn	deceive
4. 防	fáng	guard
防止	fángzhǐ	guard against
5. 纺	fǎng	spin
纺织	fǎngzhī	spinning and weaving
6. 仿	fǎng	model after
模仿	mófǎng	imitate
7. 莫	mò	no; not
莫名其妙	mò míng qí miào	cannot make head or tail of sth.
8. 摸	mō	touch; try to find out
摸鱼	mō yú	fish (in troubled waters)
9. 模	①mó	pattern; standard

	规模	guīmó	scale
	模特儿	mótèr	model
		②mú	mould;pattern
	模样	múyàng	appearance
10.	漠	mò	barren place
	沙漠	shāmò	desert
11.	付	fù	pay
	对付	duìfu	cope with
	应付	yìngfù	deal with
12.	符	fú	symbol
	符合	fúhé	in conformity with
13.	府	fǔ	seat of government
	政府	zhèngfǔ	government
14.	腐	fǔ	decay
	豆腐	dòufu	bean curd
15.	嫁	jià	(of a woman) marry
	出嫁	chūjià	(of a woman) marry
	嫁接	jiàjiē	graft
16.	稼	jià	crop
	庄稼	zhuāngjia	crop
17.	缘	yuán	cause;edge
	缘故	yuángù	cause
	无缘	wúyuán	have not the chance or luck
18.	绳	shéng	rope
	绳子	shéngzi	rope
	无绳电话	wúshéng diànhuà	cordless telephone
19.	绪	xù	mental state
	情绪	qíngxù	mood
20.	染	rǎn	dye
	污染	wūrǎn	pollution
	传染	chuánrǎn	infect
21.	梁	liáng	beam
	桥梁	qiáoliáng	bridge

22. 柴	chái	firewood
火柴	huǒchái	match
23. 泼	pō	pour
活泼	huópo	lively
24. 污	wū	dirt
污水	wūshuǐ	sewage
25. 闪	shǎn	dodge
闪开	shǎnkāi	dodge
26. 闯	chuǎng	rush
闯红灯	chuǎng hóngdēng	run against the red light
27. 阔	kuò	broad
宽阔	kuānkuò	spacious
28. 钓	diào	fish
钓鱼	diào yú	fish
29. 针	zhēn	needle
打针	dǎ zhēn	give or have an injection
针对	zhēnduì	be aimed at
方针	fāngzhēn	guiding principle
30. 钥	yào	key
钥匙	yàoshi	key
31. 序	xù	order
顺序	shùnxù	sequence
32. 庄	zhuāng	village
村庄	cūnzhuāng	village
庄严	zhuāngyán	solemn
33. 匙	shi	spoon
钥匙	yàoshi	key
34. 似	①sì	like
似乎	sìhū	as if
相似	xiāngsì	resemble
	②shì	like
似的	shìde	as if
35. 泛	fàn	extensive
广泛	guǎngfàn	extensive

36. 脆	cuì	crisp
干脆	gāncuì	simply
37. 切	qiè	anxious; be sure to; correspond to
一切	yíqiè	everything; all
38. 彻	chè	thorough
彻底	chèdǐ	thorough; thoroughgoing

记忆窍门

Tips for Memorizing Work

一 形声字声旁记忆

Memorize the following characters with the given phonetic elements.

子	zǐ				
	( )	字			
	(ˇ)	仔	仔细	zǐxì	careful
	(zǎi)	仔	牛仔裤	niúzǎikù	jeans
			打工仔	dǎgōngzǎi	mral man worked in a city
贯	guàn				
	( )	惯			
	(ˋ)	贯	一贯	yíguàn	always
			贯彻	guànchè	carry out
其	qí				
	( )	期			
	(ˉ)	欺	欺骗	qīpiàn	deceive
	( )	旗			
	( )	基			

方 fāng

( )	房	______		
(ˊ)	防	防止	fángzhǐ	guard against
( )	访	______		
(ˇ)	纺	纺织	fǎngzhī	spinning and weaving
(ˇ)	仿	模仿	mófǎng	imitate
( )	放	______		

莫 mò

(ˋ)	莫	莫名其妙	mò míng qí miào	cannot make head or tail of sth.
(ˉ)	摸	摸鱼	mō yú	fish
(ˊ)	模	规模	guīmó	scale
		模特儿	mótèr	model
(mú)	模	模样	múyàng	appearance
(ˋ)	漠	沙漠	shāmò	desert

付 fù

(ˋ)	付	对付	duìfu	cope with
		应付	yìngfù	deal with
(ˊ)	符	符合	fúhé	in conformity with
(ˆ)	府	政府	zhèngfǔ	government
(ˆ)	腐	豆腐	dòufu	bean curd
( )	附	______		

家 jiā

(ˋ)	嫁	出嫁	chūjià	marry
		嫁接	jiàjiē	graft
(ˋ)	稼	庄稼	zhuāngjia	crop

仔	贯	欺	防	纺	仿	莫	摸	模	漠	付	符	府	腐

嫁	稼

二 形声字形旁记忆

Memorize the following characters with the given pictographic elements.

纟——	缘	yuán	缘故	yuángù	cause
			无缘	wúyuán	have not the chance or luck
	绪	xù	情绪	qíngxù	mood
	绳	shéng	绳子	shéngzi	rope
			无绳电话	wúshéng diànhuà	cordless telephone
木——	染	rǎn	污染	wūrǎn	pollution
			传染	chuánrǎn	infect
	梁	liáng	桥梁	qiáoliáng	bridge
	柴	chái	火柴	huǒchái	match
氵——	泼	pō	活泼	huópo	lively
	污	wū	污水	wūshuǐ	sewage
门——	闪	shǎn	闪开	shǎnkāi	dodge
	闯	chuǎng	闯红灯	chuǎng hóngdēng	run against the red light
	阔	kuò	宽阔	kuānkuò	spacious
钅——	钓	diào	钓鱼	diào yú	fish
	针	zhēn	打针	dǎ zhēn	give or have an injection
			针对	zhēnduì	be aimed at
			方针	fāngzhēn	guiding principle
	钥	yào	钥匙	yàoshi	key
广——	庄	zhuāng	村庄	cūnzhuāng	village
			庄严	zhuāngyán	solemn
	序	xù	顺序	shùnxù	sequence

缘	绪	绳	染	梁	柴	泼	污	闪	闯	阔	钓	针	钥

庄	序

三 基本字带字

Memorize the following characters with the given basic elements.

是——匙

是				
匙	shi	钥匙	yàoshi	key

以——似

以				
似	sì	似乎	sìhū	as if
		相似	xiāngsì	resemble
	shì	似的	shìde	as if

乏——泛

乏				
泛	fàn	广泛	guǎngfàn	extensive

危——脆

危				
脆	cuì	干脆	gāncuì	simply

切——彻

切	qiè	一切	yíqiè	everything
彻	chè	彻底	chèdǐ	thoroughgoing

匙	似	泛	脆	切	彻

活用园地

Corner for Flexible Usage

一 组词

Form words and phrases.

仔 仔细听 listen carefully 仔细观察 careful observation
仔细研究 study carefully

贯 贯穿 run through 连贯 be coherent 全神贯注 with all attention

欺 欺负 bully 自欺欺人 deceive oneself as well as others
欺软怕硬 bully the weak and fear the strong

防 预防 prevent 国防 national defence 防毒 protect against poisongas
防腐 antiseptic 防火 prevent fires 防空洞 air-raid shelter
防水 waterproof 防守 defend 消防 fire fighting

纺 纺车 spinning wheel 纺织品 textile

莫 莫非 can it be that 变幻莫测 unpredictable
爱莫能助 be willing to help but unable to do so
请莫见怪 please don't take offence

摸 摸黑 feel about in the dark
摸底 try to find out the real intention or situation
摸情况 find out the situation
摸不着头脑 cannot make head or tail of something
捉摸不定 cannot decide

模 ①mó
模范 model 模糊 vague 模式 pattern 模型 model
模特儿 model 劳模 model worker
②mú
模子 mould

漠 冷漠 cold 漠不关心 indifferent 漠视 ignore

符 符号 symbol 声符 phonetic symbol 护身符 amulet

府 首府 capital 总统府 presidential palace

天府之国　Nature's storehouse——a land of abundance

腐　臭豆腐　strong-smelling preserved bean curd
冻豆腐　frozen bean curd　老豆腐　processed bean curd

缘　缘分　lot or luck by which people are brought together
边缘　edge　人缘　human relationship　血缘　blood relationship
无缘　have not the chance or luck　有缘　be predetermined by fate

绪　思绪　train of thought　头绪　main threads　绪论　introduction
就绪　be ready

绳　绳梯　rope ladder　钢丝绳　steel cable　跳绳　rope skipping

染　染料　dyestuff　染色　dye　染病　catch an illness
感染　infect　传染　infect

梁　横梁　crossbeam　山梁　ridge of a mountain or hill

柴　一根火柴　a match　柴油　diesel oil　木柴　firewood

泼　泼水节　the Water-Sprinkling Festival of the Dais
泼冷水　pour cold water on

污　污水　foul water　污点　dirty spot　去污粉　cleanser

闪　闪电　lightning　闪光　shine　闪闪发光　glittering
闪盘　flash memory disk

闯　闯进来　rush in　闯过去　break through

阔　广阔　spacious　开阔　open; wide　宽阔　broad
壮阔　vast　摆阔　show off one's wealth　阔气　extravagant
海阔天空　as boundless as the sea and the sky

钥　一串钥匙　a string of keys　万能钥匙　master key

庄　庄子　Zhuang Zi　庄园　manor　庄重　majestic
庄严　solemn　饭庄　restaurant　农庄　farm
钱庄　old-style Chinese private bank　山庄　mountain villa

序　程序　program　次序　order　工序　working procedure
语序　word order　词序　word order　序言　preface
序曲　overture

似　近似　approximate　类似　similar　似笑非笑　faint smile
如饥似渴　as if thirsting or hungering for sth.　似是而非　specious

脆　脆弱　weak　清脆　clear and melodious　松脆　crisp

切　切合　fit in with　切身　personal　切实　earnestly

切题 keep to the point

彻 彻夜 all through the night 彻头彻尾 out and out

二 认读句子

Read the following sentences and try to understand them.

1. 不知道什么缘故，这些庄稼都死了。
For reasons not known, these crops are all dead.
2. 这件事我可以对付，你放心吧。
I can handle this matter. Don't worry.
3. 撒哈拉沙漠是世界上最大的沙漠。
The Sahara is the biggest desert in the world.
4. 这个纺织厂规模挺大的，有一万多工人。
This is a big textile mill with over 10,000 workers.
5. 政府官员贪污是一个非常严重的问题。
Corruption among government officials is a serious problem.
6. 钓了一天没钓到鱼，他干脆下河摸鱼去了。
Having caught no fish all day, he simply went into the river to fish by hand.
7. 这两天我喉咙疼，医生给我开了一点药，还让我打针。
I have had a sore throat these two days. The doctor prescribed some medicine for me and gave me an injection as well.
8. 这些药品，质量不符合标准。
The quality of these medicines is not up to par.
9. 有一种臭豆腐，闻着臭，吃着香，味道不错。
There is a kind of strong-smelling preserved bean curd, which smells bad, but tastes good.
10. 她觉得男朋友欺骗了她，所以不再理他了。
She thought her boyfriend had deceived her. So she had nothing to do with him any longer.
11. 在学习汉语的时候，不能有急躁的情绪，要慢慢儿来。
When learning Chinese, one cannot get impatient and must learn it step by step.
12. 为了防止交通事故的发生，请大家不要闯红灯。
Please don't run against the red light in order to prevent traffic accidents.

13. 那个演员正在模仿各种鸟叫的声音。
The actor is imitating the singing of different kinds of birds.
14. 我有点莫名其妙,他为什么突然发脾气。
I really don't understand why he lost his temper all of a sudden.
15. 她现在跟小女儿住在一起,其余两个女儿都已经出嫁了。
She is now living with her youngest daughter, her other two daughters having been married.
16. 这个城市的空气污染很严重。
The air of this city is seriously polluted.
17.《卖火柴的小女孩》是一个有名的童话故事。
The Little Match Girl is a well-known fairy tale.
18. 这些猴子很活泼,在那儿跳上跳下,真逗人喜爱。
The monkeys are really lovely, jumping up and down, and we really love them.
19. 请大家闪开,先让病人过去。
Please make way and let the patient pass.
20. 你的爱好似乎很广泛。
You seem to have a wide range of interest.
21. 真糟糕,我的自行车钥匙丢了。
What bad luck! I've lost the key to my bike.
22. 请你仔细看一下这两个汉字,它们一样不一样?
Please look at the two Chinese characters. Are they the same?
23. 他这个人一贯这样,不太爱跟别人说话。
He is always like this; he does not like to talk with others.
24. 请门口的病人按照顺序一个一个进来。
Aks the patients at the door to come in one by one in order.
25. 我们的村庄旁边就有一条宽阔的马路通向城里。
There is a wide road near our village, which leads to the town.
26. 真让人吃惊,侯小姐的头发今天怎么染成了黄色?
What a surprise! How come Ms. Hou has dyed her hair yellow today?
27. 你们看,这儿就是山顶了,旁边围了很多钢丝绳,防止爬山的人不小心从这儿掉下去。
Look, here is the top of the mountain, which is enclosed with a lot of steel cables to prevent climbers from falling down here from.

28. 这次水灾好几座桥梁都被冲坏了，有些列车也停开了。
Several brides have been damaged by the flood, and some trains have been suspended.

自学园地

Corner for Self-study

一 给下列词语注音

Mark the following words with the right phonetic symbols.

钥匙	沙漠	似乎	广泛	干脆
(　　)	(　　)	(　　)	(　　)	(　　)
打针	钓鱼	彻底	一切	模样
(　　)	(　　)	(　　)	(　　)	(　　)

二 写出本课含有下列偏旁的汉字

Write out the characters with the following radicals in this lesson.

亻:(zǐ)____细　模(fǎng)____　对(fù)____　(sì)____乎
纟:(yuán)____故　(fǎng)____织　(shéng)____子　情(xù)____
氵:沙(mò)____　活(pō)____　贪(wū)____　广(fàn)____
钅:方(zhēn)____　(diào)____鱼　(yào)____匙
广:顺(xù)____　(zhuāng)____严　政(fǔ)____

三 填量词

Fill in the blanks with the right measure words.

一(　　)钥匙　一(　　)豆腐　一(　　)火柴　一(　　)桥梁
一(　　)绳子　一(　　)牛仔裤　一(　　)针　一(　　)沙漠

四 根据意思把左右两栏连起来

Match the words in the left column with the ones on the right.

钓	钱	宽阔的	影响
打	针	广泛的	回答
闯	红灯	活泼的	马路
付	鱼	干脆的	猴子

五 阅读句子并回答问题

Read the following sentences and answer the questions accordingly.

1. 天安门广场每天早上都有很多人聚集在那里,等待观看庄严的升旗仪式。
   为什么每天早上天安门广场会有很多人?
2. 他就是用这支仿真手枪来对付出租车司机的。这支手枪只是模样像枪,其实是个打火机,他用这支手枪又抢钱,又抢车,今天终于被抓住了。
   这支手枪是真的吗?
3. 你看,电视里的模特儿穿着牛仔裤看起来特别时尚,而这些牛仔布就是我们工厂生产的。
   他们正在看什么?
4. 召开这次会议,就是为了更好地贯彻政府有关纺织品进出口的一些方针政策。
   为什么召开这次会议?
5. 他这种悲观的情绪也传染给了我,弄得我也莫名其妙地伤心起来。
   "我"为什么伤心起来?
6. 针对这个造纸厂附近水污染的问题,政府有关部门要求该厂尽快采取措施,彻底解决污水处理的问题。
   这个造纸厂存在什么问题?
7. 这兄弟俩似乎是一个模子里出来的,长相、性格、爱好,一切都是那么的相似。
   为什么说兄弟俩是一个模子里出来的?

8. 在昨天进行的乒乓球比赛中，面对一个从没有交过手的对手，他有些不适应，在第二局的比赛中，面对对手不断变化的发球，他显得难以应付，最后以 3∶4 输掉了比赛，无缘进入决赛。
   他为什么与决赛无缘？
9. 这是一首由京剧改编成的流行歌曲，这首歌标志着古老的传统戏曲正式与现代艺术进行全方位的嫁接，以适应当代年轻观众的需要。
   这首歌有什么特点？
10. 这种无绳电话一般在 50 米以内都可以拨打或接听，你住的房子虽然是楼上楼下的，但不会超过这个距离。
    他住的房子能否使用这种无绳电话？

第二十三课

汉字园地

Corner for Chinese Characters

1. 狮	shī	lion
狮子	shīzi	lion
2. 宾	bīn	guest
宾馆	bīnguǎn	guesthouse
来宾	láibīn	visitor
3. 雾	wù	fog
烟雾	yānwù	smog
4. 璃	lí	
玻璃	bōli	glass
5. 糊	hú	stick with paste
模糊	móhu	vague
6. 姻	yīn	marriage
婚姻	hūnyīn	marriage
7. 勿	wù	do not
请勿打扰	qǐng wù dǎrǎo	Do not disturb
8. 征	zhēng	sign; call up
象征	xiàngzhēng	symbol
征求	zhēngqiú	solicit
9. 症	zhèng	illness
癌症	áizhèng	cancer
肥胖症	féipàng zhèng	obesity

10. 拥	yōng	crowd
拥挤	yōngjǐ	crowded
拥抱	yōngbào	embrace
拥护	yōnghù	uphold
11. 卜	bo	radish
萝卜	luóbo	radish
12. 补	bǔ	patch
补充	bǔchōng	add
补习	bǔxí	take lessons after school or work
补课	bǔ kè	make up a missed lesson
13. 扑	pū	throw oneself on or at
扑灭	pūmiè	put out
扑克	pūkè	poker
14. 朴	pǔ	simple
简朴	jiǎnpǔ	simple and unadorned; plain
朴素	pǔsù	plain
15. 逐	zhú	one by one
逐步	zhúbù	step by step
16. 逼	bī	compel
逼真	bīzhēn	true to life
17. 迈	mài	advanced in years; step
年迈	niánmài	advanced in years
18. 疾	jí	illness
疾病	jíbìng	illness
残疾	cánjí	deformity
19. 癌	ái	cancer
肝癌	gān'ái	cancer of the liver
20. 损	sǔn	damage; harm
损失	sǔnshī	loss; lose
21. 执	zhí	hold; take charge of
执行	zhíxíng	carry out
固执	gùzhí	stubborn

22. 泥	ní	mud
泥土	nítǔ	mud
水泥	shuǐní	cement
23. 渐	jiàn	gradually
逐渐	zhújiàn	gradually
24. 萝	luó	trailing plants
菠萝	bōluó	pineapple
25. 蔬	shū	vegetable
蔬菜	shūcài	vegetable
26. 菌	jūn	fungus; bacterium
细菌	xìjūn	bacterium
病菌	bìngjūn	pathogenic bacteria; germs
27. 桶	tǒng	bucket
一桶水	yì tǒng shuǐ	a bucket of water
28. 挥	huī	wave
发挥	fāhuī	display
指挥	zhǐhuī	command
29. 辉	huī	brightness
光辉	guānghuī	bright
30. 捡	jiǎn	pick
捡起来	jiǎn qǐlai	pick up
31. 涂	tú	smear; cross out
糊涂	hútu	muddled
32. 途	tú	journey; way
旅途	lǚtú	journey
前途	qiántú	future
33. 悦	yuè	pleasure
喜悦	xǐyuè	happy
悦耳	yuè'ěr	pleasing to the ear
34. 咽	yān	pharynx
咽喉	yānhóu	throat

35. 波	bō	wave
波浪	bōlàng	wave
电波	diànbō	electric wave
36. 玻	bō	
玻璃	bōli	glass
37. 菠	bō	
菠菜	bōcài	spinach

记忆窍门

Tips for Memorizing Work

一 形声字声旁记忆

Memorize the following characters with the given phonetic elements.

师 shī

( ) 师 ____________

(ˉ) 狮 狮子 shīzi lion

兵 bīng

( ) 兵 ____________

(bīn) 宾 宾馆 bīnguǎn guesthouse

来宾 láibīn visitor

务 wù

( ) 务 ____________

(ˋ) 雾 烟雾 yānwù smog

离 lí

( ) 离 ____________

(ˊ) 璃 玻璃 bōli glass

胡 hú

( ) 胡 ____

( ) 糊 ____

(ˊ) 糊 模糊 móhu vague

因 yīn

(ˉ) 姻 婚姻 hūnyīn marriage

勿 wù

( ) 物 ____

( ) 忽 ____

(ˋ) 勿 请勿打扰 qǐng wù dǎrǎo Do not disturb

正 zhèng

( ) 整 ____

( ) 证 ____

( ) 政 ____

(ˉ) 征 象征 xiàngzhēng symbol

征求 zhēngqiú solicit

(ˋ) 症 癌症 áizhèng cancer

肥胖症 féipàng zhèng obesity

用 yòng

(ˉ) 拥 拥抱 yōngbào embrace

拥护 yōnghù uphold

拥挤 yōngjǐ crowded

卜 bo

(bo) 卜 萝卜 luóbo radish

(bǔ) 补 补充 bǔchōng add

补习 bǔxí take lessons after school or work

补课 bǔ kè make up a missed lesson

(pū) 扑 扑灭 pūmiè put out

扑克 pūkè poker

(pǔ) 朴	简朴	jiǎnpǔ	simple and unadorned; plain
	朴素	pǔsù	plain

狮	宾	雾	璃	糊	姻	匆	征	症	拥	卜	补	扑	朴

二 形声字形旁记忆

Memorize the following characters with the given pictographic elements.

辶——	逐	zhú	逐步	zhúbù	step by step
	逼	bī	逼真	bīzhēn	true to life
	迈	mài	年迈	niánmài	advanced in years
疒——	疾	jí	疾病	jíbìng	illness
			残疾	cánjí	deformity
	癌	ái	肝癌	gān'ái	cancer of the liver
扌——	损	sǔn	损失	sǔnshī	loss
	执	zhí	执行	zhíxíng	carry out
			固执	gùzhí	stubborn
氵——	泥	ní	泥土	nítǔ	mud
			水泥	shuǐní	cement
	渐	jiàn	逐渐	zhújiàn	gradually
艹——	萝	luó	菠萝	bōluó	pineapple
	蔬	shū	蔬菜	shūcài	vegetable
	菌	jūn	细菌	xìjūn	bacterium
			病菌	bìngjūn	pathogenic bacteria; germs

逐	逼	迈	疾	癌	损	执	泥	渐	萝	蔬	菌

三 比较同音字

Compare the following characters with similar phonetic elements.

通——痛——桶

通	______			
痛	______			
桶	tǒng	一桶水	yì tǒng shuǐ	a bucket of water

挥——辉

挥	huī	发挥	fāhuī	display
		指挥	zhǐhuī	command
辉	huī	光辉	guānghuī	bright

检——捡

检	______			
捡	jiǎn	捡起来	jiǎn qǐlai	pick up

涂——途

涂	tú	糊涂	hútu	muddled
途	tú	旅途	lǚtú	journey
		前途	qiántú	future

阅——悦

阅	______			
悦	yuè	喜悦	xǐyuè	happy
		悦耳	yuè' ěr	pleasing to the ear

烟——咽

烟	______			
咽	yān	咽喉	yānhóu	throat

波——玻——菠

波	bō	波浪	bōlàng	waves
		电波	diànbō	electric wave

玻 bō 玻璃 bōli glass
菠 bō 菠菜 bōcài spinach

桶	挥	辉	捡	涂	途	悦	咽	波	玻	菠

活用园地

Corner for Flexible Usage

一 组词

Form words and phrases.

宾 宾客 guest 贵宾 distinguished guest 外宾 foreign guest
来宾 visitor 嘉宾 honored guest 宾语 object
宾至如归 a home from home

雾 云雾 cloud and mist 迷雾 dense fog 雾气 mist
云消雾散 the clouds melt and the mists disperse

糊 含糊 ambiguous 迷迷糊糊 confused

姻 姻缘 the happy fate which brings lovers together
婚姻法 marriage law 联姻 be related by marriage

咽 咽炎 pharyngitis

勿 请勿吸烟 No Smoking 请勿入内 No Admittance

征 特征 characteristics 征兆 sign 征服 conquer 征收 levy

症 炎症 inflammation 病症 disease 绝症 illness without remedy
后遗症 sequalae 症状 symptom 不治之症 incurable disease

拥 拥有 possess 蜂拥 swarm

补 补助 subsidy 补贴 subsidize 补救 remedy
补考 make-up exam 补票 buy one's ticket after the normal time
补品 tonic 补语 complement 修补 repair
取长补短 learn from others' strong points to offset one's own weaknesses

扑 扑救 put out a fire to save life and property

扑空　fail to get or achieve what one wants
扑面　blow against one's face
扑鼻　assail the nostrils　扑克　playing cards
仆　公仆　public servant　仆从　servant
朴　朴素　simple　朴实　sincere and honest
质朴　simple and unadorned
逐　逐个　one by one　逐月　month after month　逐年　year after year
逐一　one by one　逐字逐句　word by word and sentence by sentence
追逐　run after　逐客令　order for guests to leave
逼　逼近　press on towards　逼迫　compel
迈　迈步　take a step　迈进　stride forward　迈开　make a big stride
老迈　advanced in years
疾　疾苦　sufferings　疾驶　speed along　痛心疾首　with bitter hatred
积劳成疾　fall ill from constant overwork
癌　胃癌　gastric carcinoma　肺癌　cancer of the lung
直肠癌　carcinoma of the rectum
损　损害　do harm to　损坏　damage　损伤　injure
损人利己　harm others to benefit oneself　破损　damaged
执　执照　license　执法　enforce the law　执政　be in power
回执　a short not acknowledging receipt of something
固执己见　stubbornly persist in one's own opinions
泥　泥水　muddy water　泥人　clay figurine　泥巴　mud
泥沙　silt　泥石流　mud-rock flow　污泥　mud　水泥　cement
渐　渐渐　gradually　渐变　gradual change　渐进　advance gradually
萝　胡萝卜　carrot　白萝卜　turnip　胡萝卜素　carotene
桶　水桶　bucket　油桶　oil drum　铁桶　iron bucket
饭桶　rice bucket　一桶油　a pail of oil　一桶牛奶　a pail of milk
挥　挥舞　brandish　挥动　wave　挥泪　wipe away tears
挥手　wave one's hand　挥金如土　throw money about like dirt
借题发挥　seize on an incident to exaggerate matters
涂　涂改　alter　涂料　paint
途　长途　long distance　短途　short distance　中途　halfway
半途　halfway　路途　journey　沿途　along the road
用途　use　半途而废　give up halfway　道听途说　hearsay

悦 悦目 pleasing to the eye 心悦诚服 be completely convinced
和颜悦色 have a genial expression

肚 肚皮 stomach 肚量 tolerance 拉肚子 have loose bowels
牵肠挂肚 feel deep anxiety

烟 吸烟 smoke 烟草 tobacco 烟灰 tobacco or cigarette ash
烟斗 pipe 烟头 cigarette butt 烟叶 tobacco leaves
烟火 smoke and fire 烟尘 smoke and dust 戒烟 give up smoking
冒烟 give out smoke 抽油烟机 range hood

波 波动 fluctuate 波及 spread to 电波 electromagnetic wave
光波 light wave 水波 wave 烟波 mist-covered waters
波段 wave band 短波 shortwave 波折 twists and turns

二 认读句子

Read the following sentences and try to understand them.

1. 那个商店发生了火灾，五个小时后大火才被扑灭。
The shop caught fire, and it wasn't put out until five hours later.
2. 宾馆里卖的香烟要比外边贵一点儿。
Cigarettes sold at guesthouses are a bit more expensive than those sold outside.
3. 窗户的玻璃太脏了，等一会儿我们擦一下吧。
The glass on the window is too dirty. Let's clean it after a while.
4. 朋友对我挥挥手说："祝你旅途愉快！"
My friends waved to me and said, "Wish you a pleasant journey!"
5. 乌云(wūyún)挡不住太阳的光辉。
Dark clouds cannot shut out the sun.
6. 肝癌是一种比较可怕的疾病，对付这种病，现在还没有太好的办法。
Liver cancer is a terrible disease, for which we have so far no good remedies.
7. 我坐在后边看不清楚黑板上的字，模模糊糊的。
Sitting at the back, I cannot see clearly the characters on the blackboard.
8. 他对自己的婚姻很满意。
He is satisfied with his marriage.
9. 房间的门上挂着"请勿打扰"的牌子。
A sign saying "Don't distrub, please" is hanging on the door.

10. 天安门是北京的象征,屋顶上的瓦叫琉璃瓦(liúliwǎ)。
Tian'an men is the symbol of Beijing, and the tiles on its roof are called glazed tiles.

11. 请给我一杯菠萝汁。
I'd like a glass of pineapple juice, please.

12. 上下班时间,路上的交通很拥挤。
During the rush hours, there are often traffic jams in the road.

13. 他虽然很富有,生活却很简朴。
He lives a simple life although he is very rich.

14. 这个纺织厂以前是一个小工厂,后来才逐步发展起来的。
The textile mill used to be a small workshop, and it developed gradually later.

15. 那是一本补充教材,如果有时间,你们可以看看。
That is a supplementary teaching material. You can have a look at it if you have time.

16. 那位演员正在模仿各种鸟叫的声音,模仿得很逼真。
The actor is imitating the singing of different kinds of birds. And his imitation is really true to life

17. 这次火灾损失很大。
The fire caused great losses.

18. 一屋子都是烟雾,你们别抽烟了。
Please stop smoking. Don't you see the room is full of smoke?

19. 这种水,我一般两个星期喝一桶。
We drink a barrel of this kind of water every two weeks.

20. 那个孩子摔倒了,满身是泥,现在正在掉眼泪呢。
The boy had a fall with mud all over his body, and is weeping now.

21. 听说儿子得了癌症,这可急坏了年迈的父母亲。
On hearing their son has got cancer, the aged parents were extremely worried.

22. 我经常咽喉疼,医生建议我戒(jiè)烟。
I often have a sore throat, and the doctor advises me to give up smoking.

23. 我比较喜欢吃蔬菜,特别是菠菜。
I love vegetables, especially spinach.

24. 我今天拉肚子,我现在要去医院。
I have diarrhoea today, and I'm going to the hospital right now. ;

25. 你在说什么，我都被你说糊涂了。
What are you talking about? I'm confused by what you've said.

26. 波浪太大，渔民今天不能出海打鱼了。
Since the waves are too high the fishermen cannot go out fishing today.

27. 她的歌声很悦耳，我特别喜欢这个歌唱演员。
Her singing is pleasant to the ear, and I'm specially fond of this singer.

28. 警察向小偷扑去，小偷拿出刀子，在他身上砍了一刀。
The policeman threw himself on the thief, who took out a knife and stabbed at him.

29. 我的橡皮掉你桌子底下了，麻烦你帮我捡一下。
My rubber fell under your desk. Please pick it up for me.

30. 这个凉菜是用萝卜做的，又酸又脆，很好吃。
Made of radishes, this cold dish is sour and crisp and it is delicious.

31. 她刚来中国的时候总想家，因此还常掉眼泪，现在三个月过去了，她已经逐渐习惯这儿的生活了。
When she first came to China, she was terribly homesick and used to shed tears. Three months has passed now and she has been accustomed to the life here gradually.

32. 你知道他这个人很固执，如果他不同意，你怎么劝也没用。
You know he is a very stubborn person. You can do nothing to presuade him if he does not agree to do it.

自学园地
Corner for Self-study

一 给下列词语注音
Mark the following words with the right phonetic symbols.

宾馆	玻璃	前途	糊涂	逐渐
(　　)	(　　)	(　　)	(　　)	(　　)
朴素	象征	拥抱	固执	癌症
(　　)	(　　)	(　　)	(　　)	(　　)

二 写出本课含有下列偏旁的汉字

Write out the characters with the following radicals in this lesson.

扌:(zhí)______行　发(huī)______　(yōng)______挤　(sǔn)______失
　(pū)______灭　(jiǎn)______起来

氵:(bō)______浪　糊(tu)______　(ní)______土　逐(jiàn)______

辶:年(mài)______　(bī)______真　旅(tú)______　(zhú)______步

疒:(jí)______病　(ái)______症　肥胖(zhèng)______

三 在括号内加上合适的词语

Fill in the blanks with the right words and phrases.

(　　)的婚姻　　拥挤的(　　)
(　　)的疾病　　简朴的(　　)
(　　)的拥抱　　年迈的(　　)
(　　)的旅途　　光辉的(　　)
(　　)的来宾　　喜悦的(　　)

四 选择填空

Choose the right characters to fill in the blanks.

1. 长城是中国的象______。　(症、政、征)
2. 我今天下午没时间,要______课。　(扑、补、朴)
3. 你越说,我怎么越糊______了?　(途、涂、除)
4. 这是我刚在地上______到的钢笔,是不是你的。　(检、捡、险、验)
5. 这次考试我没发______好,只考了六十多分。　(挥、辉)

五 阅读句子并回答问题

Read the following sentences and answer the questions accordingly.

1.《新婚姻法》现在征求意见，明年 1 月开始执行。
《新婚姻法》现在是否有效？

2. 他正在和来宾一一拥抱，毕业后二十年了，第一次见到他们，他心里充满了喜悦之情。
他现在在哪儿？

3. 他最近正在补习功课，快毕业考试了，要考得不好，毕不了业，他的前途就完了。
为什么他最近要补习功课？

4. 谁愿意跟你玩扑克，你的水平那么臭！
为什么不愿意跟他玩扑克？

5. 他自己缺乏工作能力和领导才能，却想让大家拥护他，听他的指挥，真是做梦！
大家会不会拥护他？为什么？

6. A：小明，饭前先洗手。
B：妈妈，我的手干干净净的，没有细菌为什么要洗手啊？
A：这些病菌，肉眼是看不见的。
妈妈为什么要小明饭前洗手？

7. 专家介绍说："肥胖症是一种营养过剩的疾病，体重超过正常标准的 20％以上。肥胖的世界标准是：体重指数〔体重（千克）÷身高^2（米^2）〕在 18.5～24.9 时属正常范围，体重指数大于 25 的为超重，体重指数大于 30 的为肥胖。现在，由于摄入的营养过多，而又不运动，因此肥胖症的孩子日益增多。"
什么是肥胖症？其标准是什么？

8. 当年，当他在残疾人奥运会上获得冠军的消息通过电波传到家乡的小山村时，全村人拥挤到他家门口，纷纷向他父母表示祝贺。
全村人为什么向他父母表示祝贺？

第二十四课

汉字园地

Corner for Chinese Characters

1. 丛	cóng	crowd together
花丛	huācóng	flowering shrubs
2. 娜	nà	used in feminine names
安娜	Ānnà	Anna
3. 捞	lāo	scoop up from a liquid
打捞	dǎlāo	salvage
4. 涨	zhǎng	rise
涨价	zhǎng jià	rise in price
5. 捆	kǔn	bind
捆起来	kǔn qǐlai	tie something up
6. 央	yāng	center
中央	zhōngyāng	center
央视	Yāng-Shì	CCTV，China Central Television
央行	Yāng-Háng	central bank
7. 映	yìng	reflect
反映	fǎnyìng	reflect
8. 撒	sā	let go
撒谎	sā huǎng	lie
9. 荒	huāng	barren
荒凉	huāngliáng	bleak and desolate

10. 慌	huāng	flustered
惊慌	jīnghuāng	alarmed
11. 谎	huǎng	lie
谎言	huǎngyán	lie
12. 伙	huǒ	partner；mate
伙伴	huǒbàn	partner；companion
13. 伴	bàn	companion
老伴	lǎobàn	old spouse
同伴	tóngbàn	companion
14. 判	pàn	judge
谈判	tánpàn	negotiate
批判	pīpàn	criticize
判断	pànduàn	judge；judgment
15. 怨	yuàn	grudge
抱怨	bàoyuàn	complain
埋怨	mányuàn	complain
16. 悉	xī	know；learn
熟悉	shúxī	be familiar with
获悉	huòxī	learn (of an event)
17. 忍	rěn	bear
忍受	rěnshòu	bear
忍不住	rěn bu zhù	cannot bear
18. 惠	huì	benefit
优惠	yōuhuì	favorable
19. 惹	rě	stir up；offend
惹麻烦	rě máfan	ask for trouble
20. 荣	róng	glory
光荣	guāngróng	glory
繁荣	fánróng	prosperous
荣幸	róngxìng	be honored

21. 蒜	suàn	garlic
大蒜	dàsuàn	garlic
22. 藏	①cáng	hide
收藏	shōucáng	collect
冷藏	lěngcáng	refrigeration
	②zàng	depository
西藏	Xīzàng	Tibet
23. 岸	àn	bank
江岸	jiāng'àn	river bank
24. 岛	dǎo	island
海岛	hǎidǎo	island
环岛	huándǎo	roundabout
25. 托	tuō	entrust
托儿所	tuō'érsuǒ	nursery
托福	tuōfú	TOEFL
26. 插	chā	insert
插图	chātú	illustration
插头	chātóu	plug
插座	chāzuò	socket
27. 捕	bǔ	arrest
追捕	zhuībǔ	pursue and capture
28. 扮	bàn	play the part of
打扮	dǎbàn	make up
扮酷	bànkù	play it cool
29. 吨	dūn	ton
一吨	yì dūn	a ton
30. 顿	dùn	a measure word for meals, etc.
打了一顿	dǎle yí dùn	give a good beating
31. 铺	①pū	spread
铺地毯	pū dìtǎn	spread the carpet
	②pù	plank bed

卧铺	wòpù	sleeping berth
32. 葡	pú	grape
葡萄	pútáo	grape
33. 掏	tāo	take out
掏钱	tāo qián	take out money
34. 萄	táo	grape
葡萄酒	pútaojiǔ	wine
35. 恨	hèn	hate
可恨	kěhèn	hateful
36. 煮	zhǔ	cook
煮饭	zhǔ fàn	cook a meal
37. 著	zhù	marked
著名	zhùmíng	well-known
著作	zhùzuò	works
显著	xiǎnzhù	marked; remarkable
38. 俄	é	Russian
俄语	Éyǔ	Russian
俄罗斯	Éluósī	Russia

记忆窍门

Tips for Memorizing Work

一 形声字声旁记忆

Memorize the following characters with the given phonetic elements.

从 cóng

( ) 从

(ˊ) 丛　花丛　huācóng　flowering shrubs

那 nà

( ) 哪

(ˋ) 娜 安娜 Ānnà Anna

劳 láo

( ) 劳

(ˉ) 捞 打捞 dǎlāo salvage

张 zhāng

(ˇ) 涨 涨价 zhǎngjià rise in price

困 kùn

( ) 困

(ˇ) 捆 捆起来 kǔn qǐlai tie up

央 yāng

(ˉ) 央 中央 zhōngyāng center

央视 Yāng-Shì CCTV，China Central Television

央行 Yāng-Háng central bank

( ) 英

(yìng) 映 反映 fǎnyìng reflect

散 sàn

( ) 散

(sā) 撒 撒谎 sā huǎng lie

荒 huāng

(ˉ) 荒 荒凉 huāngliáng bleak and desolate

(ˉ) 慌 惊慌 jīnghuāng alarmed

(ˇ) 谎 谎言 huǎngyán lie

火 huǒ

(ˇ) 伙 伙伴 huǒbàn partner；companion

半　bàn

（丶）伴	老伴	lǎobàn	one's old spouse
	同伴	tóngbàn	companion
（pàn）判	谈判	tánpàn	negotiate
	批判	pīpàn	criticize
	判断	pànduàn	judge; judgment
（　）胖		______	

从	娜	捞	涨	捆	央	映	撒	荒	慌	谎	伙	伴	判

二　形声字形旁记忆

Memorize the following characters with the given pictographic elements.

心	怨	yuàn	抱怨	bàoyuàn	complain
			埋怨	mányuàn	complain
	悉	xī	熟悉	shúxī	be familiar with
			获悉	huòxī	learn (of an event)
	忍	rěn	忍受	rěnshòu	bear
			忍不住	rěn bu zhù	cannot bear
	惠	huì	优惠	yōuhuì	favorable
	惹	rě	惹麻烦	rě máfan	ask for trouble
艹	荣	róng	光荣	guāngróng	glory
			繁荣	fánróng	prosperous
			荣幸	róngxìng	honor
	蒜	suàn	大蒜	dàsuàn	garlic
	藏	cáng	收藏	shōucáng	collect
			冷藏	lěngcáng	refrigeration
		zàng	西藏	Xīzàng	Tibet
山	岸	àn	江岸	jiāng'àn	river bank
	岛	dǎo	海岛	hǎidǎo	island
			环岛	huándǎo	roundabout

扌——托	tuō	托儿所	tuō'érsuǒ	nursery
		托福	tuōfú	TOEFL
插	chā	插图	chātú	illustration
		插头	chātóu	plug
		插座	chāzuò	socket
捕	bǔ	追捕	zhuībǔ	pursue and capture
扮	bàn	打扮	dǎban	make up
		扮酷	bànkù	play it cool

怨	悉	忍	惠	惹	荣	蒜	藏	岸	岛	托	插	捕	扮

三 比较下列形近字

Compare the following characters with similar pictographic elements.

吨——顿

吨	dūn	一吨	yì dūn	a ton
顿	dùn	打了一顿	dǎle yí dùn	give a good beating

铺——葡——辅——傅——博

铺	pū	铺地毯	pū dìtǎn	spread the carpet
	pù	卧铺	wòpù	sleeping berth
葡	pú	葡萄	pútao	grape
辅	________			
傅	________			
博	________			

掏——萄

掏	tāo	掏钱	tāo qián	foot a bill
萄	táo	葡萄酒	pútaojiǔ	wine

很——恨——跟——根

很	________			
恨	hèn	可恨	kěhèn	hateful
跟	________			
根	________			

猪——煮——著

猪 ______

煮 zhǔ 煮饭 zhǔ fàn cook a meal

著 zhù 著名 zhùmíng well-known

著作 zhùzuò works

显著 xiǎnzhù remarkable

饿——鹅——俄

饿 ______

鹅 ______

俄 é 俄语 Éyǔ Russia

俄罗斯 Éluósī Russia

吨	顿	铺	葡	掏	萄	恨	煮	著	俄

活用园地

Corner for Flexible Usage

一 组词

Form words and phrases.

从 树丛 grove 草丛 a thick growth of grass
丛林 jungle 丛书 a series of books

捞 大海捞针 fish for a needle in the ocean
水中捞月 fish for the moon-make unpractical or vain efforts

涨 上涨 rise 涨钱 rise in price 涨跌 rise and fall
高涨 run high 水涨船高 when the river rises the boat goes up

捆 一捆书 a bunch of books 捆好 tie up 捆紧 tie fast

央 中央电视台 CCTV 党中央 the Party Central Committee
中央人民广播电台 Central People's Broadcasting Station
央求 beg 央行 central bank

映　放映　show (a film)　上映　be shown　试映　preview (of a film)
撒　撒开　release　撒网　cast a net　撒手　let go one's hold
撒手不管　wash one's hands of the business
荒　荒地　wasteland　灾荒　famine　荒郊　desolate place outside a town
荒岛　a desert island　荒丘　a barren hill　荒原　wilderness
荒诞　absurd　荒无人烟　desolate and uninhabited　荒漠　wilderness
慌　慌张　flustered　慌忙　in a great rush　慌乱　flurried
发慌　flurried　恐慌　fear　心慌　flustered　饿得慌　very hungry
累得慌　be tired out　闲得慌　bored　闷得慌　bored
谎　谎话　lies　说谎　lie
伙　伙计　fellow; mate　伙同　in league with　伙食　meals
伴　同伴　companion　伙伴　partner　小伙伴儿　little companion
旅伴　travelling companion　结伴　go with
伴唱　vocal accompaniment　伴舞　accompany
判　判定　judge　判决　pass judgment　判处　sentence
判明是非　clearly distinguish right from wrong
怨　怨恨　grudge　怨言　grumble　恩怨　resentment
任劳任怨　work hard regardless of criticism
悉　得悉　learn　惊悉　be shocked to learn
悉心　with great care　悉数　all
忍　忍得住　can stand　忍耐　exercise patience　容忍　tolerate
忍让　exercise forbearance　忍受　bear　忍心　have the heart to
忍无可忍　be driven beyond forbearance
惠　优惠　preferential　受惠　receive benefits　惠顾　patronize
惠存　please keep (something as a souvenir)
惹　惹是非　stir up trouble　惹人注意　attract attention
惹人讨厌　make a nuisance of oneself　惹事　stir up trouble
惹是生非　make trouble
荣　虚荣　vanity　荣华富贵　glory, splendour, wealth and rank
荣获　win something as an honor
蒜　蒜苗　garlic bolt　蒜泥　mashed garlic　蒜头　garlic bulb
装蒜　pretend　鸡毛蒜皮　chicken feathers and garlic skins-trifles
藏　①cáng
躲藏　hide　隐藏　conceal　暗藏　hide
捉迷藏　hide-and-seek　笑里藏刀　hide a dagger behind a smile-with

murderous intent behind friendly gestures　藏书　a collection of books
②zàng
藏族　the Tibetans　藏语　the Tibetan language
藏青色　dark blue　宝藏　treasure

岸　河岸　river bank　海岸　coast　对岸　the opposite bank
口岸　port　沿岸　along the coast　两岸　both banks of a river

岛　小岛　small island　半岛　peninsular　群岛　archipelago
岛国　island country　荒岛　a desert island　海南岛　Hainan Island

托　托运　consign for shipment　寄托　place hope on　推托　offer as an excuse
衬托　set off　重托　great trust　信托公司　trust company
全托　put one's child in a boarding nursery
托福　thanks to you（used to respond to greetings）

插　插班　join a class in the middle of a course　插花　ikebana
插手　have a hand in　插嘴　interrupt　插话　chip in
插曲　interlude　插队　jump the queue
插入　insert　插足　participate in

捕　捕捉　catch　被捕　be arrested　捕捞　catch　拒捕　resist arrest

顿　吃一顿　have a meal　顿时　immediately　整顿　straighten out
顿号　a Chinese punctuation mark used to set off items in a series
安顿　settle　停顿　pause

铺　①pū
铺开　spread　铺平　smooth out　铺桌布　lay the table cloth
铺床　make the bed　铺天盖地　blot out the sky and cover up the earth
②pù
店铺　store　床铺　bed　当铺　pawnshop

掏　掏腰包　foot a bill　掏出来　take out

萄　葡萄园　grapery　葡萄糖　glucose

恨　恨死了　hate bitterly　痛恨　hate bitterly
恨之入骨　bitterly hate　解恨　vent one's hatred

煮　煮菜　cook dishes　煮酒　warm wine　煮面条　cook noodles
煮饺子　cook dumplings

著　著称　be noted for　合著　coauthor　专著　monograph
名著　famous works　土著人　native

俄　俄罗斯　Russia　俄文　Russian

二 认读句子

Read the following sentences and try to understand them.

1. 那个孩子站在花丛中,让妈妈给他照相。
The boy is standing among the flowering shrubs so that his mother can take a photo of him.
2. 安娜站在队伍的最后,我找了半天才找到她。
Anna was at the end of the rank, and it took me a long time to find her.
3. 一辆汽车从桥上开进了河里,他们正在打捞。
A car ran into the river from the bridge, and they were trying to salvage it.
4. 最近水费又涨价了,每一吨水涨了五毛钱。
There has been a rise in charges for water, and they have increased by 50 cents a ton.
5. 中央电视台每天晚上从七点到七点半都有半个小时的新闻联播。
CCTV offers half an hour of news hookup from 7:00 to 7:30 every evening.
6. 因为撒谎,他爸爸今天打了他一顿。
His father beat him today because he had lied.
7. 很多年以前,这儿还是一个荒凉的海岛,现在却成了一个旅游胜地。
Years ago it was a dcsolate island, and now it has turned into a tourist attraction.
8. 我一直很相信他,没想到他说的都是谎言,真可恨。
I used to believe him, but I never thought what he had said were all lies. It is most hateful of him.
9. 因为他熟悉国际贸易,所以领导派他去跟外商谈判。
As he was familiar with international trade, the leader sent him to negotiate with foreign businessmen.
10. 您好,认识你很荣幸。
How do you do? It's my honor to know you.
11. 如果买得多,价格还可以优惠。
I'll give you a favorable price if you buy in large quantities.
12. 他不喜欢吃大蒜,其实,大蒜对身体有很多好处。
He does not like garlic, but as a matter of fact, it is good to one's health.
13. 我哥哥喜欢收藏各国的钱币。
My brother loves collecting currencies of all countries.

14. 夏天的时候，我想去西藏旅行。
I would like to travel to Tibet in summer.
15. 长江两岸的风景美极了。
Both banks of the Yangtze River present a beautiful scenery.
16. 这本书里的插图很有意思，我很喜欢。
The illustrations in the book are very interesting, and I love them.
17. 女孩子都喜欢打扮，所以特别喜欢买化妆(zhuāng)品。
Girls love to make up and they buy a lot of cosmetics.
18. 他的房间里铺着绿色的地毯。
The floor of his room is covered with a green carpet.
19. 这种葡萄虽然小，但是很甜。
Though small, this kind of grapes are sweet.
20. 他正要掏钱，才发现钱包不见了。
As he was going to take out the money, he found his wallet was missing.
21. 法国的葡萄酒和香水一样著名。
French wine is as famous as its perfumes.
22. 他是一位著名的电影演员。
He's a famous film actor.
23. 他学了四年俄语，但是还学得不太好，他一直抱怨这是因为俄语太难学了。
He has learned Russian for four years and yet he is not good at it. He is always complaining that Russian is too difficult to learn.
24. 这么多书怎么拿，你给我捆起来吧。
How can I carry so many books? You'd better tie them up.
25. 居民们反映这个城市的空气污染很严重。
Residents often complain that the air in the city is seriously polluted.
26. 丢了钱先不要惊慌，我们再找一找。
Don't panic for having lost your money. Let's try to find it again.
27. 警察在全国范围内追捕这个逃犯，终于把他抓住了。
The police ran after the escaped convict throughout the country, and in the end, they got him.
28. 我那儿子，天天在外边跟小伙伴一起玩，不想回家，还常给我惹麻烦。
My son plays together with his little companions outside every day, unwilling to go back home, and often callres trouble for me.
29. 我要买一张后天去上海的卧铺票。
I'd like a sleeper ticket to Shanghai the day after tomorrow.
30. 王大爷五点多才从公园回来，这时候，老伴已经煮好饭，做好菜了。
Grandpa Wang did not come back from the park until it was over 5 o'clock, and by that time, his wife had already cooked the meal for him.

自学园地

Corner for Self-study

一 给下列词语注音

Mark the following words with the right phonetic symbols.

反映	撒谎	插图	葡萄	西藏
( )	( )	( )	( )	( )
抱怨	涨价	忍不住	托儿所	繁荣
( )	( )	( )	( )	( )

二 写出本课含有下列偏旁的汉字

Write out the characters with the following radicals in this lesson.

扌:追(bǔ)____　(tuō)____福　打(bàn)____　(sā)____谎

心:熟(xī)____　抱(yuàn)____　(rěn)____受　(rě)____麻烦

艹:大(suàn)____　光(róng)____　(zhù)____名　收(cáng)____

三 根据意思把左右两栏连起来

Match the words in the left column with the ones on the right.

插	书
掏	麻烦
捆	饭
煮	嘴
铺	钱
撒	谎
涨	路
惹	价

四 在括号内加上合适的词语

Fill in the blanks with the right words and phrases.

反映(　　　)	显著的(　　　)
追捕(　　　)	光荣的(　　　)
收藏(　　　)	优惠的(　　　)
批判(　　　)	惊慌的(　　　)
忍受(　　　)	繁荣的(　　　)
抱怨(　　　)	著名的(　　　)

五 阅读句子并回答问题

Read the following senterces and answer the questions accordingly.

1. 央视新闻频道刚才插播了一条消息，俄罗斯一所小学发生了一起恐怖(kǒngbù，terror)事件。
   这个消息是从哪儿来的？
2. 那位著名的中医称最近又研究出了一种治疗癌症疗效显著的新药。
   那种新药效果怎么样？
3. 老人和他的老伴在那片荒山植树造林二十年，今年他光荣地被评为全国劳动模范(model)。
   老人为什么被评为全国劳动模范？
4. 事实证明，你的判断是错误的。
   怎么知道他的判断是错误的？
5. 记者从新华社获悉，俄罗斯和日本关于北方四岛问题的谈判没有取得进展。
   这条消息是怎么知道的？
6. 你从那个大型环岛向东拐，到第一个红绿灯再向南拐，马上就能看到马路边有一个新建小区，我就住在小区进来第一座楼的1105号。
   他家在环岛的什么方向？
7. 由于忍受不了同伴的埋怨，他决心退出那个追捕小组，按自己的方式追查那些抢劫犯人。
   他为什么要退出那个小组？

8. 这些葡萄都是冷藏了几个月的，新鲜的葡萄还没上市。
现在是不是收获葡萄的季节?
9. 你把这个插头 插在旁边的插座上，看看那个插座有没有电源。
怎么能知道那个插座有没有电源?
10. 他这个人每天都在扮酷，时常变换着奇形怪状的发型，帽子、墨镜每天更(gēng)换。今天又戴了一副粉红色的太阳镜，可是，粉红色好像应该是女人的专利啊!
为什么说他每天都在扮酷?

25
LESSON

第二十五课

汉字园地

Corner for Chinese Characters

1. 柿	shì	persimmon
西红柿	xíhóngshì	tomato
2. 踩	cǎi	trample upon
踩坏	cǎihuài	damage by trampling upon
3. 尝	cháng	taste
尝一尝	cháng yi cháng	have a taste of
尝试	chángshì	attempt; try
4. 偿	cháng	compensate
赔偿	péicháng	compensation
5. 桑	sāng	mulberry
桑拿	sāngná	sauna bath
6. 嗓	sǎng	throat
嗓子	sǎngzi	voice; throat
7. 宗	zōng	ancestor
宗教	zōngjiào	religion
正宗	zhèngzōng	orthodox school
8. 综	zōng	put together
综合	zōnghé	comprehensive
9. 棕	zōng	palm
棕色	zōngsè	brown

10. 俱	jù	all
俱乐部	jùlèbù	club
11. 朝	①cháo	towards；face；dynasty
朝鲜	Cháoxiǎn	Korea
朝代	cháodài	dynasty
	②zhāo	early morning
朝气	zhāoqì	youthful spirit
12. 潮	cháo	damp；tide
潮湿	cháoshī	damp
潮流	cháoliú	trend
13. 某	mǒu	certain
某个	mǒugè	certain
某些	mǒuxiē	some
14. 谋	móu	scheme
参谋	cānmóu	staff officer
谋取	móuqǔ	seek；try to gain
15. 煤	méi	coal
煤气	méiqì	gas
16. 唐	Táng	the Tang Dynasty (618—907)；a surname
唐人街	Tángrénjiē	Chinatown
17. 剪	jiǎn	cut with scissors
剪刀	jiǎndāo	scissors
剪纸	jiǎnzhǐ	paper-cut
18. 箭	jiàn	arrow
火箭	huǒjiàn	rocket
射箭	shè jiàn	shoot an arrow
19. 怒	nù	fury
愤怒	fènnù	indignation
20. 愤	fèn	indignation
气愤	qìfèn	indignant

21. 喷	pēn	spurt
喷泉	pēnquán	fountain
22. 超	chāo	exceed; overtake
超过	chāoguò	exceed; super-
超重	chāozhòng	overweight
23. 佛	fó	Buddha
佛教	fójiào	Buddhism
24. 援	yuán	assist
支援	zhīyuán	aid
援助	yuánzhù	aid
25. 罕	hǎn	rare
罕见	hǎnjiàn	rare
稀罕	xīhan	uncommon; value as a rarity
26. 汗	hàn	sweat
汗水	hànshuǐ	sweat
27. 坡	pō	slope
山坡	shānpō	mountain slope
28. 婆	pó	an old woman
婆婆	pópo	mother-in-law
婆婆妈妈	pópomāmā	old-womanish; talktive
麻婆豆腐	mápó dòufu	pockmarked grandma's bean curd
29. 炒	chǎo	stir-fry; fire; speculate
炒菜	chǎo cài	make dishes
炒鱿鱼	chǎo yóuyú	fire
30. 委	wěi	entrust
委员	wěiyuán	committee member
委托	wěituō	entrust
31. 败	bài	be defeated
失败	shībài	failure

32. 项	xiàng	item
项目	xiàngmù	project
强项	qiángxiàng	strong point
33. 类	lèi	category
人类	rénlèi	mankind
种类	zhǒnglèi	kind
34. 秩	zhì	order
秩序	zhìxù	order
35. 略	lüè	abbreviate; brief; a little
省略	shěnglüè	abbreviation
策略	cèlüè	tactics
忽略	hūlüè	neglect
36. 翅	chì	wing
翅膀	chìbǎng	wing
37. 配	pèi	distribute
配合	pèihé	coordinate
分配	fēnpèi	distribution
38. 帘	lián	curtain
窗帘	chuānglián	window curtain

记忆窍门

Tips for Memorizing Work

一 形声字声旁记忆

Memorize the following characters with the given phonetic elements.

市 shì

(ˋ) 柿 西红柿 xīhóngshì tomato

采 cǎi

( ) 采 ____________

( ) 彩 ____________

( ) 菜 ____________

(ˇ) 踩 踩坏 cǎihuài damage by trampling upon

尝 cháng

(ˊ) 尝 尝一尝 cháng yi cháng have a taste of

尝试 chángshì attempt; try

(ˊ) 偿 赔偿 péicháng compensate

桑 sāng

(ˉ) 桑 桑拿 sāngná sauna bath

(ˇ) 嗓 嗓子 sǎngzi voice

宗 zōng

(ˉ) 宗 宗教 zōngjiào religion

正宗 zhèngzōng orthodox school

(ˉ) 综 综合 zōnghé comprehensive

(ˉ) 棕 棕色 zōngsè brown

具 jù

( ) 具 ____________

(ˋ) 俱 俱乐部 jùlèbù club

朝 cháo

(ˊ) 朝 朝鲜 Cháoxiǎn Korea

朝代 cháodài dynasty

(zhāo) 朝 朝气 zhāoqì youthful spirit

(ˊ) 潮 潮湿 cháoshī damp

潮流 cháoliú trend

某 mǒu

(ˇ) 某 某个 mǒugè certain

		某些	mǒuxiē	some
(ˊ)	谋	参谋	cānmóu	staff officer
		谋取	móuqǔ	seek; try to gain
(méi)	煤	煤气	méiqì	gas

唐　táng

( )	糖	____________		
(táng)	唐	唐人街	Tángrénjiē	Chinatown

柿	踩	尝	偿	桑	嗓	宗	综	棕	俱	朝	潮	某	谋

煤	唐

二　比较下列形近字

Compare the following characters with similar pictographic elements.

剪——箭

剪	jiǎn	剪刀	jiǎodāo	scissors
		剪纸	jiǎnzhǐ	paper-cut
箭	jiàn	火箭	huǒjiàn	rocket
		射箭	shè jiàn	shoot an arrow

努——怒

努	____________			
怒	nù	愤怒	fènnù	resentment

愤——喷

愤	fèn	气愤	qìfèn	indignation
喷	pēn	喷泉	pēnquán	fountain

招——绍——超

招	____________			
绍	____________			
超	chāo	超过	chāoguò	surpass
		超重	chāozhòng	overweight

费——佛

费	______			
佛	fó	佛教	fójiào	Buddhism

暖——援

暖	______			
援	yuán	支援	zhīyuán	aid
		援助	yuánzhù	support；aid

旱——汗——罕

旱	______			
汗	hàn	汗水	hànshuǐ	sweat
罕	hǎn	罕见	hǎnjiàn	rare
		稀罕	xīhan	uncommon；value as a rarity

破——坡——婆

破	______			
坡	pō	山坡	shānpō	mountain slope
婆	pó	婆婆	pópo	mother-in-law
		婆婆妈妈	pópo māmā	old-womanish；talktive
		麻婆豆腐	mápó dòufu	pockmarked grandma's beancurd

抄——吵——炒

抄	______			
吵	______			
炒	chǎo	炒菜	chǎo cài	make dishes
		炒鱿鱼	chǎo yóuyú	fire

剪	箭	怒	愤	喷	超	佛	援	汗	罕	坡	婆	炒

三 部件组字

Form characters with the given parts.

禾 女	委 wěi	委员 wěiyuán	committee member
		委托 wěituō	entrust
贝 攵	败 bài	失败 shībài	failure
工 页	项 xiàng	项目 xiàngmù	project
		强项 qiángxiàng	strong point
米 大	类 lèi	人类 rénlèi	mankind
		种类 zhǒnglèi	kind
禾 失	秩 zhì	秩序 zhìxù	order
田 各	略 lüè	省略 shěnglüè	abbreviation
		策略 cèlüè	tactics
		忽略 hūlüè	neglect
支 羽	翅 chì	翅膀 chìbǎng	wing
酉 己	配 pèi	分配 fēnpèi	distribution
		配合 pèihé	coordinate
穴 巾	帘 lián	窗帘 chuānglián	window curtain

委	败	项	类	秩	略	翅	配	帘

活用园地

Corner for Flexible Usage

一 组词

Form words and phrases.

柿　柿子　persimmon

尝　尝试　try　品尝　taste

偿　偿还　repay　补偿　compensate　无偿　free
得不偿失　the loss outweighs the gain
如愿以偿　have one's wish fulfilled

桑　桑树　mulberry tree　桑叶　mulberry leaves
桑田　mulberry fields　桑巴舞　samba

嗓　嗓门　voice　嗓音　voice　假嗓子　falsetto

宗　宗教　religion　祖宗　ancestor　一宗心事　a matter that worries one

综　综括　sum up　错综复杂　intricate

俱　面面俱到　attend to each and every aspect of a matter
一应俱全　have everything needed　与日俱增　increase day by day

朝　①cháo
朝着　head for　朝北　face north　朝代　dynasty
王朝　dynasty　改朝换代　change of dynasty or regime
②zhāo
朝阳　the rising sun　一朝一夕　overnight
有朝一日　if by chance...

潮　潮水　tide　海潮　sea tide　涨潮　rising tide　落潮　ebb tide
退潮　ebb tide　高潮　climax　低潮　low tide
热潮　great mass fervor

某　某人　a certain person　某地　a certain place　某些　some
某年某月某日　on a certain date, in a certain month and in a certain year
某种原因　for some reason　某种程度　to a certain degree
某种意义　in a sense　张某　a Mr Zhang　李某　a Mr Li

谋　计谋　scheme　预谋　premeditate　谋求　seek　阴谋　plot

谋划 scheme 不谋而合 agree without prior consultation
老谋深算 circumspect and far-seeing

煤 煤矿 coal mine 煤田 coalfield

唐 唐装 Chinese costume

剪 剪子 scissors 剪接 montage 剪贴 clip and paste
剪纸 paper-cut 修剪 prune

箭 火箭 rocket 归心似箭 with one's heart set on speeding home
箭头 arrowhead

怒 怒火 flames of fury 发怒 lose one's temper 激怒 enrage
狂怒 rage 恼怒 be irritated 息怒 calm down
鲜花怒放 fresh flowers are in full bolssom
心花怒放 burst with joy

愤 愤怒 anger 悲愤 be resentful 发愤 make a firm resolution
民愤 popular indignation 愤愤不平 feel aggrieved

喷 喷发 erupt 喷气 jet 喷水 spray 喷洒 sprinkle
喷头 shower nozzle 喷雾器 sprayer

超 超出 exceed 超产 overfulfil a production target 超级 super
超越 overstep 超市 supermarket 超龄 overage
超值 exceed the real value

佛 佛经 Buddhist Scripture 佛像 an image of Buddha

援 救援 rescue 求援 ask for aid 外援 foreign aid

汗 冒汗 perspire 冷汗 cold sweat 汗液 sweat 汗津津 sweaty
满头大汗 with sweat all over one's head

罕 罕有 rare 稀罕 rare

坡 上坡 uphill 下坡 downhill 斜坡 slope 下坡路 decline
坡度 the degree of an incline

婆 公婆 parents-in-law 外婆 maternal grandma 老婆 wife
老婆婆 granny 婆婆妈妈 like an old woman

炒 炒面 fried noodles 炒菜 make dishes
蛋炒饭 fried eggs with rice 炒鸡蛋 fried eggs

委 委派 send by the authorities 委任 appoint 委员会 committee
委员 committee member 党委 Party committee
省委 provincial Party committee 市委 municipal Party committee

败 打败 defeat 击败 beat 成败 success or failure

胜败 victory or defeat 败坏 ruin 败诉 lose a lawsuit
一败涂地 fail completely 腐败 rotten

项 弱项 weak point 义项 senses of a dictionary entry
事项 item 各项 all items 款项 sum of money

类 分类 categorize 归类 sort 鸟类 birds 鱼类 fishes
肉类 meat 词类 parts of speech 门类 class
同类 of the same kind 种类 kind 类似 similar
类别 classification 类推 analogize

略 简略 brief 史略 outline history 战略 strategy 从略 be omitted

翅 鸡翅 chicken wings 展翅高飞 spread wings and fly high
插翅难飞 unable to escape even if given wings

配 支配 dispose 搭配 collocation 般配 match
配备 be equipped with 配方 prescription
配套 form a complete set or system 配音 dub
配料 mix ingredients according to a recipe 配件 parts

二 认读句子

Read the following sentences and try to understand them.

1. 这儿的西红柿真便宜。
   Tomatoes are very cheap here.
2. 听到这个消息，愤怒的人们大喊起来。
   Oh hearing the news, the angry crowds burst out in a loud cry.
3. 钢笔被踩坏了，没法用了。
   The pen was trampled upon and broken, and can no longer be used.
4. 这是我炒的菜，你尝尝味道怎么样。
   This is the dish I cooked. Please have a try and see how it tastes.
5. 图书馆的书丢了，要赔偿十倍的钱。
   If you lose a library book you will have to pay ten times as much as the price of the book.
6. 这个地方不仅可以游泳，还可以洗桑拿。
   You can not only swim here but also have a sauna bath.
7. 这两天我感冒了，嗓子疼。
   I've caught a cold and a sore throat.

8. 这是一所综合性大学,一共有二十多个专业。
This is a university with over 20 specialities in total.
9. 他是高尔夫球俱乐部的会员。
He's a member of a golf club.
10. 他们是朝鲜留学生,将在中国学习四年。
They are students from Korea and will study in China for four years.
11. 这个电影描写了一群很有朝气的中学生的学习和生活。
The film describes the life and study of a group of high school students with youthful spirit.
12. 这件事应该怎么办,你给我参谋参谋。
Give me some advice on what to do with this matter.
13. 她在某个煤气公司当秘书。
She is a secretary of a gas company.
14. 这屋子朝北,晒不到太阳,比较潮湿。
Facing north, the house does not receive sunshine and is rather damp inside.
15. 我的头发太长了,你给我剪短点吧。
My hair is too long. Please cut it shorter.
16. 那座大楼前面的喷泉真漂亮。
The fountain in front of that building is really beautiful.
17. 佛教是世界四大宗教之一。
Buddhism is one of the four most important religions in the world.
18. 我估计他的身高超过一米九。
I guess he's over 1. 9 meters tall.
19. 那个地方前几天下了一场大雪,这是最近几年罕见的。
The place was hit by a heavy snow a few days ago. That has been rather rare in recent years.
20. 他是一位射箭运动员,曾经得过世界冠军。
He is an archer, who once won the world championship.
21. 他真是气愤极了,因为他最好的朋友欺骗了他。
He was extremely angry, for he had been cheated by the best friend of his.
22. 那个孩子跑得满头大汗。
The boy is sweating all over with running.
23. 这里是新住宅区,下个月才能通煤气。
This is a new residence area, and gas will not be connected until next month.
24. 这个学校今年又分配来十名大学生。
The school has accepted another ten college graduates this year.
25. 她跟她婆婆关系很好。
She gets along well with her mother-in-law.

26. 那边山坡上有很多苹果树。
There are a lot of apple trees on the hillside over there.
27. 买书的事我就委托给你了。
I'll entrust you with the task of buying the books.
28. 这一次尝试又失败了，已经失败了两次，什么时候才能成功？
This experiment of ours has failed again. We have failed twice. When can we succeed?
29. 这只小鸟不能飞了，它的翅膀受了伤。
As it got injured in its wings, the bird cannot fly any more.
30. 人类只有一个地球，请爱护我们的地球吧！
Man has only one earth. Please take good Care of it.
31. 他们公司决定支援那个项目一百万元。
Their company has decided to give the project financial aid of one million *yuan*.
32. 这个城市的交通秩序很好。
The city has very orderly traffic.
33. 这个句子有的地方省略了，所以比较难懂。
There is some omission in this sentence, so it is a bit difficult to understand.
34. 这个房间本来就比较小，再挂上这种棕色的窗帘，颜色太深了，房间看起来就更小了。
This room is small with this kind of brown curtain, whose colour is too dark, it looks even smaller.

自学园地

Corner for Self-study

一 给下列词语注音

Mark the following words with the right phlnetic symbols.

嗓子	失败	人类	宗教	煤气
(　　)	(　　)	(　　)	(　　)	(　　)
愤怒	项目	赔偿	窗帘	分配
(　　)	(　　)	(　　)	(　　)	(　　)

二 写出本课含有下列偏旁的汉字

Write out the characters with the following radicals in this lesson.

亻:赔(cháng)____　　(jù)____乐部　　(fó)____教
氵:hàn____水　　(cháo)____湿
木:西红(shì)____　　(zōng)____色
火:(chǎo)____鱿鱼　　(méi)____气

三 根据意思把左右两栏连起来

Match the words in the left column with the ones on the rigth.

赔偿	工作	科研的	种类
支援	俱乐部	人类的	进步
充满	损失	罕见的	项目
分配	委员	商品的	现象
选举	朝气	潮湿的	心情
加入	农村	愤怒的	空气

四 选词填空

Choose the right characters to fill in the blanks.

1. 昨天晚上,一群大象来过,田里种的______都被它们______坏了。
(采、菜、彩、踩)
2. 当时,足球场门口围了很多人,______序有点乱。　(铁、秩)
3. 这个地方省______了一段话,最好还是把它补上。　(咯、略、备)
4. 昨天,他跟他的老板为了工作上的事______了一架,晚上越想越生气,今天早上一上班,他就______了老板的鱿鱼,他不干了。　(抄、炒、吵、沙)
5. 炒菜是我的强项,这个红烧鸡翅,你______一下,味道怎么样?(层、尝、偿)

五 阅读句子并回答问题

Read the following sentences and answer the questions accordingly.

1. 一个大男人，整天婆婆妈妈的，我烦他！
   “我”为什么烦他？
2. 在中国文学史上，唐朝是中国诗歌比较繁荣的朝代，出了很多著名的大诗人，如李白、杜甫等。
   李白、杜甫是谁？
3. 女排队员个个充满朝气，在比赛中，球员们积极配合，发挥出了很高的技术水平，最后终于赢得了比赛。
   女排赢得比赛的原因是什么？
4. 我住的是一个新建的小区，小区后面新开了一家大超市，里边有各种各样的食品、生活用品，价格也比较公平，特别是里边的酸菜鱼、麻婆豆腐的调料十分正宗。
   这个小区购物环境怎么样？
5. 在火箭发射现场，现在是万事俱备，人们正在等待火箭发射最后时刻的到来。
   人们在干什么？
6. 失败乃成功之母，你可千万不能放弃啊。
   他怎么了？
7. 剪纸是一种中国民间艺术，一些中国人在出国时常常把它作为礼物送给外国朋友。
   什么是剪纸？你见过吗？
8. 你的思想已经赶不上时代的潮流了，时代在变，你的观念要变，教育方法也要改变，你要讲究某些策略，跟孩子好好地交流，不要只是采取高压的方法。
   他在教育孩子方面有什么问题？
9. 五岁的小明愤愤地说：“一个破西红柿，有什么了不起，谁稀罕呢，不给算了。”
   小明为什么有些气愤？
10. 有的家长们只关注孩子的成绩，而忽略了孩子们的身心健康，体重超重，心理承受能力差，一些孩子在生理、心理方面出现了这样那样的问题。这应该引起家长的高度重视。
    一些家长对教育孩子存在着怎样的误区？

第二十六课

汉字园地

Corner for Chinese Characters

1. 述	shù	narrate
复述	fùshù	retell
讲述	jiǎngshù	tell about
2. 渡	dù	cross
渡河	dù hé	cross a river
3. 廊	láng	corridor
走廊	zǒuláng	corridor
4. 薪	xīn	salary
薪水	xīnshuǐ	salary
工薪阶层	gōngxīn jiēcéng	salaried persons
5. 仓	cāng	hurriedly; store house
仓促	cāngcù	hurriedly
仓库	cāngkù	warehouse
6. 苍	cāng	pale
苍白	cāngbái	pale
苍蝇	cāngying	fly
7. 兰	lán	orchid
白兰地	báilándì	brandy
8. 拦	lán	stop
拦住	lánzhù	stop

9. 烂	làn	worn-out
破烂	pòlàn	worn-out
10. 皇	huáng	emperor
皇帝	huángdì	emperor
11. 荐	jiàn	recommend
推荐	tuījiàn	recommend
12. 获	huò	obtain
获得	huòdé	obtain
收获	shōuhuò	harvest
13. 享	xiǎng	enjoy
享受	xiǎngshòu	enjoy
14. 帝	dì	emperor
上帝	shàngdì	God
15. 宣	xuān	declare
宣传	xuānchuán	propaganda
宣布	xuānbù	declare
16. 宁	①níng	tranquil
宁静	níngjìng	tranquil
	②nìng	rather
宁可	nìngkě	would rather
17. 隔	gé	separate
隔壁	gébì	next door
18. 陌	mò	unfamiliar
陌生	mòshēng	unfamiliar
19. 倡	chàng	promote
提倡	tíchàng	promote
20. 喻	yù	analogy
比喻	bǐyù	analogy
21. 轮	lún	turn; wheel
轮到	lúndào	it's one's turn

	轮流	lúnliú	take turns
	轮船	lúnchuán	steamboat
	三轮车	sānlúnchē	tricycle
22.	熬	áo	endure
	熬夜	áo yè	stay up late
23.	傲	ào	arrogant
	傲气	àoqì	arrogance
24.	详	xiáng	detail
	详细	xiángxì	detailed
25.	祥	xiáng	lucky
	吉祥	jíxiáng	lucky
26.	唉	①āi	a verbal response to inquiry
	唉声叹气	āi shēng tàn qì	moan and groan
		②ài	a sign of sadness or regret
27.	挨	①āi	be close to
	紧挨	jǐn āi	be next to
		②ái	suffer
	挨打	ái dǎ	being beaten by sb
28.	骄	jiāo	proud
	骄傲	jiāo'ào	proud
	骄人	jiāorén	proud
29.	武	wǔ	military
	武术	wǔshù	martial arts
	武器	wǔqì	weapon
30.	承	chéng	admit
	承认	chéngrèn	admit
	继承	jìchéng	inherit
31.	拜	bài	make a courtesy call
	拜访	bàifǎng	visit
	礼拜	lǐbài	week
32.	叠	dié	fold
	重叠	chóngdié	overlap
	折叠	zhédié	fold

33. 貌	mào	appearance
礼貌	lǐmào	polite
面貌	miànmào	outlook
34. 善	shàn	good
善于	shànyú	be good at
善良	shànliáng	kind
改善	gǎishàn	improve
35. 夹	jiā	folder; place in between
文件夹	wénjiànjiā	folder
36. 印	yìn	press
印象	yìnxiàng	impression
印刷	yìnshuā	print
复印	fùyìn	xerox
37. 爽	shuǎng	clear; openhearted
凉爽	liángshuǎng	cool
爽快	shuǎngkuai	refreshed
38. 革	gé	leather; transform
改革	gǎigé	reform
革命	gémìng	revolution; revolutionize

记忆窍门

Tips for Memorizing Work

一 形声字声旁记忆

Memorize the following characters with the given phonetic elements.

术 shù

( ) 术

(ˋ) 述 复述 fùshù retell

讲述 jiǎngshù tell about

度	dù			
	( ) 度			
	(ˋ) 渡	渡河	dù hé	cross a river
郎	láng			
	( ) 郎			
	(ˊ) 廊	走廊	zǒuláng	corridor
新	xīn			
	(ˉ) 薪	薪水	xīnshuǐ	salary
		工薪阶层	gōngxīn jiēcéng	salaried persons
仓	cāng			
	(ˉ) 仓	仓库	cāngkù	warehouse
		仓促	cāngcù	hurriedly
	(ˉ) 苍	苍白	cāngbái	pale
		苍蝇	cāngying	fly
兰	lán			
	(ˊ) 兰	白兰地	bǎilándì	brandy
	(ˊ) 拦	拦住	lánzhù	stop
	(ˋ) 烂	破烂	pòlàn	worn—out
王	wáng			
	(huáng) 皇	皇帝	huángdì	emperor

述	渡	廊	薪	仓	苍	兰	拦	烂	皇

二 形声字形旁记忆

Memorize the following characters with the given pictographic elements.

艹——	荐	jiàn	推荐	tuījiàn	recommend
	获	huò	获得	huòdé	obtain
			收获	shōuhuò	harvest

亠——	享	xiǎng	享受	xiǎngshòu	enjoy
	帝	dì	上帝	shàngdì	God
宀——	宣	xuān	宣传	xuānchuán	propaganda
			宣布	xuānbù	declare
	宁	níng	宁静	níngjìng	tranquil
		nìng	宁可	nìngkě	would rather
阝——	隔	gé	隔壁	gébì	next door
	陌	mò	陌生	mòshēng	unfamiliar

荐	获	享	帝	宣	宁	隔	陌

三 比较形近字

Compare the following characters with similar pictographic elements.

唱——倡

唱	______			
倡	chàng	提倡	tíchàng	promote

愉——喻

愉	______			
喻	yù	比喻	bǐyù	analogy

论——轮

论	______			
轮	lún	轮到	lúndào	it's one's turn
		轮船	lúnchuán	steamboat
		轮流	lúnliú	take turns
		三轮车	sānlúnchē	tricycle

熬——傲

熬	áo	熬夜	áo yè	stay up late
傲	ào	傲气	àoqì	arrogance

详——祥

详	xiáng	详细	xiángxì	detailed

祥	xiáng	吉祥	jíxiáng	lucky

唉——挨

唉	āi	唉声叹气	āi shēng tàn qì	moan and groan
	ài	唉,太晚了!	Ài,tài wǎn le!	Oh, it's too late!
挨	āi	紧挨	jǐn āi	be next to
	ái	挨打	ái dǎ	suffer

桥——侨——骄

桥	______			
侨	______			
骄	jiāo	骄傲	jiāo'ào	pride
		骄人	jiāorén	proud

倡	喻	轮	熬	傲	详	祥	唉	挨	骄

四 组词学字

Learn the following characters through their collocations.

武 wǔ

武术	wǔshù	martial arts
武器	wǔqì	weapon

承 chéng

承认	chéngrèn	admit
继承	jìchéng	inherit

拜 bài

拜访	bàifǎng	make a courtesy call
礼拜	lǐbài	week

叠 dié

重叠	chóngdié	overlap
折叠	zhédié	fold

貌 mào

礼貌	lǐmào	polite
面貌	miànmào	outlook

善 shàn

善于	shànyú	be good at
善良	shànliáng	kind
改善	gǎishàn	improve

夹 jiā

文件夹	wénjiànjiā	folder

印 yìn

印象	yìnxiàng	impression
印刷	yìnshuā	print
复印	fùyìn	xerox

爽 shuǎng

凉爽	liángshuǎng	cool
爽快	shuǎngkuai	refreshed

革 gé

改革	gǎigé	reform
革命	gémìng	revolution；revolutionize

武	承	拜	叠	貌	善	夹	印	爽	革

活用园地

Corner for Flexible Usage

一 组词

Form words and phrases.

述 叙述 narrate 陈述 give an account 讲述 tell about
描述 describe 综述 sum up 表述 expression
口述 give an oral account

渡 渡船 ferryboat 渡口 ferry crossing 过渡 transition
偷渡 slip out of a blockade in a water area 引渡 extradite

廊 长廊 long corridor 画廊 gallery 回廊 winding corridor

薪 年薪 annual salary 月薪 monthly salary 周薪 weekly wage
工薪 salary 高薪 a high salary 薪金 salary
底薪 bottom line for a salary

仓 仓库 warehouse 粮仓 granary

苍 苍老 old 苍凉 desolate 苍天 Heaven

兰 兰草 fragrant thoroughwort 兰花 orchid 兰州 Lanzhou
紫罗兰 violet 古兰经 Koran

拦 拦路 block the way 拦路虎 a road-blocking tiger-obstacle
阻拦 stop

皇 皇宫 palace 皇后 empress 皇室 imperial family
皇太子 crown prince

荐 引荐 recommend 举荐 recommend
保荐 recommend with guarantee 自荐 recommend oneself

获 获救 be saved 获胜 win 获准 get the approval
获悉 learn 查获 hunt down and seize
荣获 win something as an honor 不劳而获 reap without sowing

享 享福 enjoy a happy life 享用 enjoy the use of 享有 enjoy
分享 share 坐享其成 sit idle and enjoy the fruits of others' work
有福同享 share joys

帝 帝国 empire 帝王 emperor 天帝 the Lord of Heaven

宣 宣言 proclamation 宣告 declare 宣扬 publicize
宣读 read out 宣称 assert 宣传品 propaganda material

宁 ①níng
安宁 peaceful; tranquil 鸡犬不宁 even fowls and dogs are not left in peace
②nìng
宁肯 would rather 宁愿 would rather

隔 隔断 sever 隔绝 cut off 隔离 separate 间隔 space out
隔日 every other day 隔夜 of the previous night
隔些时候 once in a while 隔一天一次 once every other day

倡 倡导 promote 倡议 propose

愉 不愉快 unhappy 愉悦 happy

喻 家喻户晓 known to every household
不言而喻 it goes without saying
不可理喻 be impervious to reason

轮 车轮 wheel 轮船 steamer 客轮 passenger steamer
巨轮 a large ship 轮流 by turns 轮换 rotate
轮椅 wheel chair 三轮车 tricycle

熬 熬粥 make gruel 熬汤 prepare soup
熬药 boil Chinese medicinal herbs

傲 傲慢 arrogance 高傲 proud 傲气十足 extremely haughty

详 详情 details 详实 detailed and correct 详谈 talk in detail
安详 peaceful and calm 周详 considerate
耳熟能详 extremely familiar

祥 不祥之兆 a bad omen 发祥地 birthplace

挨 挨骂 be scolded 挨冻 suffer from cold 挨饿 go hungry
挨批评 be criticized 挨时间 while away the time

骄 骄横 haughty 骄阳 scorching sun 骄傲自大 proud and arrogant

武 武打 acrobatic fighting 武功 acrobatic skills
武力 military force 武装 armed forces

承 承担 shoulder 承包 contract 承办 undertake
承受 bear 继承人 successor

拜 拜会 pay an official call 拜托 entrust 拜见 pay a formal visit
参拜 pay homage to 拜师 formally become a pupil to a master
拜年 pay a New Year call 礼拜 week 礼拜天 Sunday

叠 折叠椅 folding chair 折叠扇 folding fan 折叠伞 folding umbrella

貌 美貌 beautiful look 外貌 appearance 相貌 looks
全貌 overall view 概貌 brief view
以貌取人 judge people solely by their appearance
其貌不扬 be unprepossessing in appearance

善 善人 kind-hearted person 善心 kindness 善意 goodwill
善于 be good at 慈善 charity 友善 friendly
改善 improve 完善 perfect

夹 夹板 splint 夹角 angle 夹心 with filling
夹生 half-cooked 皮夹 wallet

印 打印 print 脚印 footprint 打印机 printer

爽 清爽 fresh and cool 直爽 straightforward 爽身粉 talcum powder
爽口 tasty and refreshing 秋高气爽 autumn sky high and air brisk

革 革新 innovate；innovation

二 认读句子

Read the following sentences and try to understand them.

1. 你能复述一下今天的课文吗?
Can you retell today's text?
2. 他们坐船渡过了黄河。
They crossed the Yellow River by boat.
3. 315 房间在走廊的那一头。
Room 315 is at the other end of the corridor.
4. 我刚参加工作,薪水还很低。
I've just started the job, and I don't earn much yet.
5. 上个月我父母来北京了,因为时间太仓促,所以他们没去别的城市。
My parents came to Beijing last month. As they did not have much time, they didn't visit other cities.
6. 你脸色苍白,是不是病了?
You look pale. Is there anything wrong with you?
7. 他在那次运动会上获得了冠军,还创造了世界最好成绩。
He became the champion at the sports meet, and created the best world record.
8. 你喜不喜欢喝白兰地?
Do you like brandy?
9. 这孩子真懂礼貌。
The child knows how to behave properly.
10. 中国现在提倡一对夫妇只生一个孩子。
In China married couples are encouraged to have only one child.
11. 你能不能详细地给我介绍一下那个学校的情况?
Can you tell me about the school in great detail?
12. 工作了一天,回到家里,跟儿子下下棋,他觉得是一种享受。
Coming back home after a day's work, he thinks it a pleasure to play chess with his son.
13. 我小时候不太听话,所以经常挨打。
I was rather naughty when I was a child and often received beating for that.

14. 这个可爱的小动物就是这次运动会的吉祥物。

This little lovely animal is the mascot of the sports meet.

15. 这篇文章用了很多比喻，有的还很精彩。

A lot of analogies are used in the article and some of them are excellent.

16. 下一个该轮到谁了？

Whose turn is it now?

17. 虚心使人进步，骄傲使人落后。

Modesty makes one progress whereas arrogance makes one lag behind.

18. 最近我每天都熬夜，快要累死了。

I've been staying up late recently and I'm almost exhaused.

19. 他这个人这么傲气，谁会愿意跟他交朋友？

He is so arrogant that few will like to make friends with him.

20. 电视里经常向青少年宣传吸烟的坏处。

TV programs often tell the youth about the harm of smoking.

21. 你今天怎么啦？唉声叹气的。

What is wrong with you today？Why are you keep sighing all the time?

22. 他宁可住在郊区，也不愿住在充满了污染的城里。

He would rather live in the suburbs than in the center of a city full of pollution.

23. 那个城市给我留下了很好的印象。

I was very much impressed by the city.

24. 这个人很怪，我就住在他隔壁，可是他每次看见我就像看见陌生人一样。

He is a queer fish，He lives just next door to me，but he looks at me as if we were strangers every time are meet.

25. 我想买一把折叠椅，请问哪儿有卖？

I'd like to buy a folding chair，and where can I get one?

26. 学校里有武术和太极拳的学习班，你们参加吗？

There are classes for martial arts and *taijiquan*，would you like to take them?

27. 他承认这件事是他自己错了。

He admitted that he was wrong in the matter.

28. 我去拜访过那位老人，他的生活很简朴。

I visited that old man，who lived a simple and frugal life.

29. 这个孩子对他爸爸说："我向上帝保证，从明天开始努力学习。"

The child said to his father,"I give my word to God，and I'll work hard starting from tomorrow."

30. 放假了，校园里显得很宁静。
The vacation has started and it is very quiet on campus.
31. 她是一位善良的老人。
She's a kind old lady.
32. 在这儿，虽然白天很热，但是晚上比较凉爽。
It's rather cool at night here, although it's very hot during the day.
33. 他决定了的事，就一定要做，你拦也拦不住。
He will accomplish whatever he's decided to do, and nobody could stop him.
34. 这些纸应该用一个夹子夹起来，否则就乱了。
You should put these sheets in to a folder. Otherwise they'll be in disorder.
35. 老师，我下学期要去别的大学学习专业课，你能不能给我写封推荐信？
Teacher, I'll attend another university to study my specialty. Could you write a letter of recommendation for me?
36. 你听说过"伴君如伴虎"这句话吗？这是把皇帝比喻成老虎，意思是在皇帝身边工作好像在老虎身边工作一样危险。
Have you heard of the expression "being close to the emperor is like being close to a tiger"? In this saying the emperor is likened to a tiger, meaning working at the side of the emperor is as dangerous as being at the side of a tiger.

自学园地

Corner for self-study

一、给下列词语注音

Mark the following words with the right phonetic symbols.

走廊	隔壁	武术	礼貌	推荐
(　　)	(　　)	(　　)	(　　)	(　　)
比喻	上帝	重叠	印刷	陌生
(　　)	(　　)	(　　)	(　　)	(　　)

二 写出本课含有下列偏旁的汉字

Write out the characters with the following radicals in this lesson.

艹：(xīn)______水　(cāng)______蝇　推(jiàn)______　(huò)______得
扌：(lán)______住　(ái)______骂
宀：(xuān)______布　(nìng)______可
阝：(mò)______生人　(gé)______壁
亻：骄(ào)______　提(chàng)______

三 组词

Form words and phrases.

帝：______ ______　获：______ ______
宣：______ ______　善：______ ______
印：______ ______　薪：______ ______
武：______ ______　承：______ ______
拜：______ ______　宁：______ ______

四 填量词

Fill in the blanks with the right measure words.

一______走廊　一______薪水
一______白兰地　一______苍蝇
一______折叠椅　一______推荐信
一______轮船　挨一______打

五 在括号内加上合适的词语

Fil in the blanks with the right words and phrases.

复述(　　　)	改善(　　　)	继承(　　　)
讲述(　　　)	复印(　　　)	承认(　　　)
宣布(　　　)	推荐(　　　)	拜访(　　　)
宣传(　　　)	提倡(　　　)	获得(　　　)
凉爽的(　　　)	宁静的(　　　)	爽快的(　　　)
苍白的(　　　)	骄傲的(　　　)	详细的(　　　)
骄人的(　　　)	陌生的(　　　)	礼貌的(　　　)
吉祥的(　　　)		
(　　　)的上帝	(　　　)的武器	(　　　)的享受
(　　　)的武术	(　　　)的印象	(　　　)的收获
(　　　)的面貌	(　　　)的比喻	(　　　)的苍蝇

六 阅读句子并回答问题

Read the following sentences and answer the questions accordingly.

1. 现在的房价,我们工薪阶层根本接受不了。
   现在的房价怎么样?
2. 中国二十多年的改革开放已经取得了骄人的成绩,人民生活水平不断提高,城市居民的生活环境也得到了很大的改善,农村的面貌也发生了可喜的变化。
   中国改革开放取得了哪些成绩?
3. 美国作家海明威(wēi)写过一篇小说《永别了,武器》,而对这个战争不断的世界,我也想大喊一声:“永别了,武器!万能的上帝,请还给我们一个宁静和平的世界,让不同宗教的人们永享世界和平!”
   “我”的愿望是什么?
4. 这些印刷品都是一些电脑学校、小商品等的宣传广告。这些小广告像苍蝇一样,围在你身边,到处都能碰到,有关部门采取了很多措施,想改善目前乱贴、乱发小广告的现象,却没有获得应有的效果。
   说话人对小广告是什么态度?

5. A：上礼拜五你复印的文件放哪儿了？

B：我夹在一个红色的文件夹里了，下班前我把它放在你办公桌上了。怎么，你没看到吗？

他们在找什么？

6. 老皇帝的皇位会由谁来继承？本来应该轮到长子来继承，但是老皇帝似乎更喜欢第四个儿子，大家对此议论纷纷。

大家在议论什么？

7. 他这个人性格爽快，又善于与人交流，所以朋友很多。

为什么别人喜欢跟他交朋友？

8. 这些折叠椅先放在隔壁的那个仓库里，紧挨着那张旧床。

这些折叠椅放在哪儿？

27 LESSON

第二十七课

汉字园地

Corner for Chinese Characters

1. 奥	ào	short for Austria
奥运会	Àoyùnhuì	the Olympic Games
申奥	Shēn Ào	bid for the Olympic Games
2. 澳	Ào	short for Australia
澳大利亚	Àodàlìyà	Australia
3. 犹	yóu	still
记忆犹新	jìyì yóu xīn	remain fresh in one's memory
4. 豫	yù	short for Henan Province
犹豫	yóuyù	hesitate
5. 叭	bā	crack
喇叭	lǎba	trumpet
6. 寞	mò	lonesome
寂寞	jìmò	lonely
7. 松	sōng	loose; release
轻松	qīngsōng	carefree
宽松	kuānsōng	loose; spacious and comfortable
8. 柳	liǔ	willow
柳树	liǔshù	willow tree

9. 挖	wā	dig
挖苦	wāku	speak sarcastically
10. 抛	pāo	throw
抛弃	pāoqì	forsake
11. 捏	niē	make up
捏造	niēzào	fabricate
12. 悔	huǐ	regret
后悔	hòuhuǐ	regret
13. 惰	duò	idle
懒惰	lǎnduò	lazy
14. 愣	lèng	dazed
发愣	fā lèng	be in a daze
15. 悟	wù	awaken; realize
觉悟	juéwù	come to understand; consciousness
醒悟	xǐngwù	come to realize
16. 形	xíng	shape
形状	xíngzhuàng	shape
形成	xíngchéng	take shape
形式	xíngshì	form
形象	xíngxiàng	image; vivid
形容	xíngróng	describe
情形	qíngxíng	situation
17. 型	xíng	model; type
血型	xuèxíng	blood group
典型	diǎnxíng	model; typical
大型	dàxíng	large
18. 韩	hán	short for the Republic of Korea
韩国	Hánguó	the Republic of Korea
19. 翰	hàn	writing brush
约翰	Yuēhàn	John

20. 暑	shǔ	heat
暑假	shǔjià	summer vacation
21. 署	shǔ	sign
署名	shǔmíng	sign one's name
22. 维	wéi	maintain
维护	wéihù	preserve
23. 惟	wéi	only
惟独	wéidú	only
24. 喇	lǎ	
喇叭	lǎba	trumpet
25. 辣	là	hot
辣酱	làjiàng	thick chilli sauce
26. 堵	dǔ	stop up
堵车	dǔ chē	traffic jam
27. 悄	qiāo	
悄悄	qiāoqiāo	on the quiet
28. 削	xiāo	peel with a knife
削皮	xiāo pí	peel with a knife
29. 孔	kǒng	hole
面孔	miànkǒng	face
孔子	Kǒngzǐ	Confucius
30. 扎	zhā	prick
扎实	zhāshi	solid; sound
扎啤	zhāpí	draught beer
31. 赖	lài	depend; blame
依赖	yīlài	depend on
32. 懒	lǎn	lazy
懒得	lǎnde	be tired of; be unwilling to
33. 耐	nài	be able to bear
耐心	nàixīn	patience
耐用	nàiyòng	durable

不耐烦	búnàifán	impatient
34. 耍	shuǎ	play with
玩耍	wánshuǎ	play
35. 叔	shū	uncle
叔叔	shūshu	uncle
36. 督	dū	monitor
监督	jiāndū	supervise
基督教	jīdūjiào	Christianity
37. 椒	jiāo	any of several hot spice plants
辣椒	làjiāo	hot pepper
38. 寂	jì	quiet
寂静	jìjìng	quiet

记忆窍门

Tips for Memorizing Work

一 形声字声旁记忆

Memorize the following characters with the given phonetic elements.

奥 ào

(ˋ) 奥 奥运会 Àoyùnhuì the Olympic Games

申奥 Shēn Ào bid for the Olympic Games

(ˋ) 澳 澳大利亚 Àodàlìyà Australia

尤 yóu

( ) 优 ____________

( ) 就 ____________

(ˊ) 犹 记忆犹新 jìyì yóu xīn remain fresh in one's memory

予 yù

( ) 预 ______

(丶) 豫 犹豫 yóuyù hesitate

八 bā

(一) 叭 喇叭 lǎba trumpet

莫 mò

( ) 摸 ______

( ) 模 ______

( ) 漠 ______

(丶) 寞 寂寞 jìmò lonely

奥	澳	犹	豫	叭	寞

二 形声字形旁记忆

Memorize the following characters with the given pictographic elements.

木——松 sōng 轻松 qīngsōng carefree

宽松 kuānsōng loose

柳 liǔ 柳树 liǔshù willow tree

扌——挖 wā 挖苦 wāku speak sarcastically

抛 pāo 抛弃 pāoqì forsake

捏 niē 捏造 niēzào fabricate

忄——悔 huǐ 后悔 hòuhuǐ regret

惰 duò 懒惰 lǎnduò lazy

愣 lèng 发愣 fā lèng be in a daze

悟 wù 觉悟 juéwù come to understand; consciousness

醒悟 xǐngwù come to realize

松	柳	挖	抛	捏	悔	惰	愣	悟

三 比较下列形近字

Compare the following characters with similar pictographic elements.

形——型

形	xíng	形状	xíngzhuàng	shape
		形成	xíngchéng	take shape
		形式	xíngshì	form
		形象	xíngxiàng	image; vivid
		形容	xíngróng	describe
		情形	qíngxíng	situation
型	xíng	血型	xuèxíng	blood group
		典型	diǎnxíng	model; typical
		大型	dàxíng	large

韩——翰

韩	hán	韩国	Hánguó	the Republic of Korea
翰	hàn	约翰	Yuēhàn	John

暑——署

暑	shǔ	暑假	shǔjià	summer vacation
署	shǔ	署名	shǔmíng	sign one's name

维——惟

维	wéi	维护	wéihù	preserve
惟	wéi	惟独	wéidú	only

喇——辣

喇	lǎ	喇叭	lǎba	trumpet
辣	là	辣酱	làjiàng	thick chilli sauce

都——堵

都				
堵	dǔ	堵车	dǔ chē	traffic jam

悄——削

悄	qiāo	悄悄	qiāoqiāo	on the quiet
削	xiāo	削皮	xiāo pí	peel with a knife

孔——扎

孔	kǒng	面孔	miànkǒng	face
		孔子	Kǒngzǐ	Confucius
扎	zhā	扎实	zhāshí	solid; sound
		扎啤	zhāpí	draught beer

形	型	韩	翰	暑	署	维	惟	喇	辣	堵	悄	削	孔	扎

四 基本字带字

Memorize the following characters with the given basic elements

赖——懒

赖	lài	依赖	yīlài	depend on
懒	lǎn	懒得	lǎnde	be tired of

而——耐——耍——需

而				
耐	nài	耐心	nàixīn	patience
		耐用	nàiyòng	durable
		不耐烦	búnàifán	impatient
耍	shuǎ	玩耍	wánshuǎ	play
需				

叔——督——椒——寂

叔	shū	叔叔	shūshu	uncle
督	dū	监督	jiāndū	supervise
		基督教	jīdūjiào	Christianity
椒	jiāo	辣椒	làjiāo	hot pepper
寂	jì	寂静	jìjìng	quiet

赖	懒	耐	耍	叔	督	椒	寂

活用园地

Corner for Flexible Usage

一 组词

Form words and phrases.

奥 奥秘 profound mystery 奥妙 profound and subtle
深奥 profound

澳 澳门 Macao 澳洲 Australia

犹 犹如 as if 犹太人 Jews 犹太教 Judaism
记忆犹新 remain fresh in one's memory 虽死犹生 live on in spirit

豫 犹豫不决 hesitate 豫剧 Henan opera

松 松树 pine tree 放松 loosen 宽松 loose
松了一口气 feel relieved 马拉松 marathon

柳 杨柳 poplar and willow

挖 挖井 dig a well 挖洞 dig a hole 挖出 dig out
挖空心思 rack one's brains

抛 抛球 throw a ball 抛物线 parabola

捏 捏住 hold with two fingers 捏饺子 make dumplings
捏泥人儿 make clay figures
捏了一把汗 be breathless with anxiety or tension

悔 悔恨 regret bitterly 悔婚 break off an engagement
悔不当初 regret having done something

惰 惰性 inertia

愣 愣住 dumbfounded 愣神儿 be a in a daze 愣头愣脑 rash

形 形成 form 形容 describe 形式 form 形象 image
形旁 pictographic element 形声字 pictophonetic characters
地形 terrain 体形 figure 情形 situation 图形 graph
梯形 trapezoid 圆形 round 长方形 oblong 三角形 triangle
奇形怪状 grotesque or fantastic in shape or appearance

型 小型 small-sized 中型 medium-sized 大型 large
轻型 light 重型 heavy 巨型 giant 新型 new 类型 type
发型 hairstyle 体型 figure 典型 typical 模型 model
脸型 the shope of one's face 型号 model;type

暑 暑期 summer vacation 暑气 summer heat

署 部署 deploy 签署 sign

维 维持 maintain 维修 keep in good repair 思维 thought
维生素 vitamin

惟 惟独 only 惟恐 for fear that 惟利是图 be bent solely on profit

喇 喇叭花 white-edged morning glory 汽车喇叭 horn
按喇叭 press the horn 喇叭声 the sound of a horn

辣 麻辣 searing 辣味儿 peppery flavor 酸辣 sour and peppery
火辣 hot 热辣辣 hot
酸甜苦辣 sour, sweet, bitter and hot-joys and sorrows of life

堵 路堵了 the road is jammed 一堵墙 a wall

悄 静悄悄 on the quiet

削 削铅笔 sharpen a pencil 削球 chop

孔 桥孔 opening of a bridge 鼻孔 nostrils 毛孔 pore
钥匙孔 keyhole

扎 扎手 prick 扎眼 garish 扎根 take root

赖 信赖 trust 好赖 in any case

懒 懒虫 lazybones 懒汉 lazybones 懒散 sluggish 懒洋洋 languid
偷懒 loaf on the job 伸懒腰 stretch oneself

耐 耐力 endurance 耐性 patience 耐用 durable
耐穿 be endurable 耐洗 wash-resisting 耐磨 wear-resisting
不耐烦 impatient 耐热 hear-resisting 耐寒 cold-resistant
耐久 lasting long 吃苦耐劳 bear hardships and stand hard labor

耍 戏耍 play with 耍赖 act shamelessly
耍流氓 behave like a hoodlum 耍花招 play tricks

叔 大叔 uncle 表叔 uncle-in-law 叔父 uncle 叔伯 relationship between cousins of the same grandfather or great-grandfather

督 监督 supervise 总督 governor-general
督促 supervise and urge

椒　胡椒　pepper　胡椒粉　pepper powder
　　花椒　Chinese prickly ash

寂　沉寂　quiet　死寂　deathly stillness

二　认读句子

Read the following sentences and try to understand them.

1. 奥运会每四年举办一次。
   The Olympic Games are held every four years.
2. 约翰是澳大利亚人，他这个人特别有意思，很喜欢开玩笑。
   John, from Australia, is an interesting person, who likes joking.
3. 他刚才悄悄地跟你说了什么？
   What did he whisper to you just now?
4. 不知道发生了什么事，前面的车都堵住了，你按喇叭也没用。
   No one knows what's happened ahead of the road, where all the vehicles are jammed. It's no use pressing the horn.
5. 他刚才在草坪上丢了钥匙，现在正在草丛里寻找呢。
   He lost his key on the lawn and now he's looking for it on the lawn.
6. 春天来了，河边的柳树都长出了新芽。
   Spring has come and willows by the riverside are giving forth new shoots.
7. 报纸上的这个消息不是真的，是捏造出来的。
   The news in the paper is not true, and is fabricated.
8. 妻子挖苦地对丈夫说："这个家快变成你的旅馆了。"
   The wife said sarcastically to her husband, "Our home has almost become your hotel."
9. 几位警察正在足球场边维护秩序。
   Some policemen are keeping order by the side of the football field.
10. 终于考完试了，今天晚上我们一块儿吃饭，一起轻松轻松。
    The exams are over at last. Let's go for a meal together and relax.
11. 他决定，从现在开始，抛开一切烦恼，努力学习。
    He has decided to throw away all the worries and concentrate himself on studies.
12. 你别犹豫了。暑假的时候跟我们一起去韩国玩吧！
    Don't hesitate any longer. Join us in a tour to South Korea in the summer

vacation.

13. 朱小刚因为偷东西被抓起来了,现在后悔也晚了。
Zhu Xiaogang was sentenced to imprisonment for stealing. It's too late to regret now.
14. 你现在怎么变得越来越懒惰了。
How come you are getting lazier and lazier?
15. 真奇怪,我今天收到了一封没有署名的来信。
How strange! I received an anonymous letter today.
16. 他是四川人,很喜欢吃辣椒,没有辣菜他吃不下饭。
He's from Sichuan and fond of hot pepper. He can't eat his meal without a hot dish.
17. 他叔叔是一位著名的律师。
His uncle is a famous lawyer.
18. 我刚来这儿,一个朋友也没有,所以感到很寂寞。
I've just come here, and I feel lonely without a friend.
19. 我当时看了那场艰苦的比赛,到现在还记忆犹新。
I watched the hard game, which still remains fresh in my memory now.
20. 这件事是我的错,全赖我,不能赖别人。
I'm to blame for the matter, and nobody else is to be blamed.
21. 我已经工作了,不能再依赖父母了。
I've already got a job and can no longer depend on my parents.
22. 多少年以后,我还会记得老人慈祥(cíxiáng)的面孔,因为在我来中国的第一天,他帮助了我。
I will still remember the old man's kind face in the years to come, for he helped me on the first day when I came to China.
23. 孩子们正在草地上高兴地玩耍。
The children are playing happily on the lawn.
24. 我今天懒得做饭了,咱们一块儿出去吃吧。
I am too lazy to cook today, Let's go out for a meal.
25. 他好像有什么心事,一个人坐在那儿发愣。
He seemed to have something on his mind, sitting there alone in a daze.
26. 阅览室里寂静无声,大家正在认真地看书。
It's quiet in the reading room, and everyone is con centrating on his reading.
27. 他这个人脾气很急躁,一点儿耐心也没有。
He's hot-tempered without a bit of patience.

28. 这种形状的灯，我还真没见过。
I've never seen a lamp of this shape.
29. 我不常吃苹果，主要是因为我懒得削皮。
I don't eat apples quite often mainly because I don't feel like peeling them.
30. 他虽然现在在中国留学，但只要想到孩子可爱的面孔，就想马上回国。
Although now he is studying in China, he wants to return to his country immediately once he thinks of the lovely face of his child.
31. O型血的人可以为各种血型的人输血，所以他们常常被称为"万能输血者"。
Those whose blood type is O can give transfusions to the people of various blood types, and they are often called "universal blood donors".
32. 他现在才知道，原来妻子一个人又要上班又要干家务是多么艰难，只是现在醒悟已经太晚了，因为妻子已经离他而去了。
He didn't realize until now how hard it was for his wife to go to work and to do housework as well. But it's too late now, for his wife has already left him.
33. 这个孩子学习一点儿也不扎实，只要取得一点成绩就开始骄傲。
The child does not study in a down-to-earth manner at all. Once he gets any good results, he will become conceited.

自学园地

Corner for Self-study

一 给下列词语注音

Mark the following words with the right phonetic symbols.

奥运会	犹豫	基督教	辣椒	血型
(　　　)	(　　　)	(　　　)	(　　　)	(　　　)
形容	觉悟	暑假	后悔	寂寞
(　　　)	(　　　)	(　　　)	(　　　)	(　　　)

二 写出本课含有下列偏旁的汉字

Write out the characters with the following radieals in this lesson.

忄:后(huǐ)______ (lǎn)______得 发(lèng)______
觉(wù)______ (wéi)______独 静(qiāoqiāo)______
扌:(wā)______苦 (zhā)______啤 (niē)______造

三 根据意思把左右两栏连起来

Match the words on the left column with the ones on the right.

鸣	洞	失去	事实	奇怪的	晚会
开	手	维护	血型	有利的	形象
抛	名	捏造	习惯	美丽的	情形
堵	皮	抛弃	别人	扎实的	田野
削	奥运会	挖苦	父母	轻松的	基础
要	名	依赖	耐心	寂静的	环境
挖	球	形成	秩序	大型的	心情
扎	针	检验	朋友	罕见的	面孔
松	喇叭			宽松的	形势
署	心眼儿			典型的	形状

四 选择填空

Choose the right characters to fill in the blanks.

1. 赶快作决定吧,别____豫了。 (优、犹)
2. 这种奇____怪状的东西,你是从哪儿搞来的? (型、形、刑)
3. 这个____假你过得怎么样? (署、置、暑)
4. 看着孩子一副可怜的面____,我一句话也说不出来了。 (扎、乱、孔)
5. 这件事我____得跟你解释,你爱怎么想就怎么想。 (赖、嗽、懒、刺)
6. 凡是需要____皮的水果,我都不爱吃。 (捎、削、悄、消)

五 阅读句子并回答问题

Read the following sentences and answer the questions accordingly.

1. 我爸爸每天一副严肃的面孔，我都害怕跟他说话，为此，我非常苦恼。其实我也希望在一个宽松的家庭环境中，轻轻松松地快乐成长，我很羡慕我的好朋友韩明，他跟他爸爸在一起，有说有笑，既是父子，又是朋友。
   他为什么苦恼？他羡慕谁？为什么？
2. 古典名著《三国演义》中的人物形象都是个性鲜明，像诸葛亮（Zhūgě Liàng）、关羽、张飞等典型的艺术形象，几百年来一直吸引着广大的读者。
   这句话介绍的内容是什么？
3. 一位女影迷说："韩国影星裴勇俊（Péi Yǒngjùn）在我们日本拥有广大的影迷，我就是其中之一。那次当我见到他时，高兴的心情无法形容，当时激动得却说不出话来。"
   女影迷为什么激动得说不出话来？
4. 相声是一种深受中国观众欢迎的艺术表现形式，在每年的春节联欢晚会上相声也是最受人关注的一类节目。
   什么是相声？你听过、看过吗？
5. 那条街上有一家麻辣火锅餐厅，扎啤免费。这家餐厅，冬天火得无法形容，每天得排队，没想到，现在夏天了，还那么火。你可以想象，大夏天，几个人围在一起吃火锅，又辣又热，个个吃得满头大汗的情形。
   为什么他们个个吃得满头大汗？
6. 在听到这个消息后，他把自己关在房间里，三天没有出来。后来经过父母和朋友的耐心劝告，才开始觉悟过来，其实考上大学并不是成才的唯一（wéiyī，only）途径。
   他听到了什么消息？
7. 前不久，我看了一本小说，叫《懒得离婚》，我和我妻子现在的情形就是这样，我们俩现在是说几句话就不耐烦，所以也就懒得说话，懒得吵架，也懒得离婚。
   "我"的婚姻状况怎么样？
8. 虽然澳大利亚国内经济形势不错，他现在工作的那家公司提供的薪水、待遇也令人满意，但是他还是毫不犹豫地选择了回国。国内的女友在E-mail中对他说："我是被你的工作抛弃的，还是被你抛弃的？"他十分理解女朋友寂寞的心情。

他为什么要回国?

9. 当年的申奥情形,我还记忆犹新。当萨马兰奇准备宣布获得 2008 年奥运会主办权的城市时,我真捏了把汗。

他们在回想什么?

10. 这几年,北京的立交桥越建越多,但堵车问题却日益严重,这已成为社会各界关注和议论的热点话题。

什么成为社会各界关注和议论的热点?

28 LESSON

第二十八课

汉字园地

Corner for Chinese Characters

1. 瓷	cí	porcelain
瓷器	cíqì	china
2. 资	zī	endowment
工资	gōngzī	salary
资源	zīyuán	resources
合资	hézī	joint investment
资料	zīliào	data
3. 吩	fēn	
4. 咐	fù	
吩咐	fēnfù	instruct
5. 氛	fēn	atmosphere
气氛	qìfēn	atmosphere
6. 婴	yīng	baby
婴儿	yīng'ér	baby
7. 樱	yīng	cherry
樱桃	yīngtáo	cherry
8. 镇	zhèn	town; calm
小镇	xiǎozhèn	town
镇静	zhènjìng	calm
9. 返	fǎn	return
往返	wǎngfǎn	go there and back

10. 酗	xù	
酗酒	xùjiǔ	indulge in excessive drinking
11. 酪	lào	cheese
奶酪	nǎilào	cheese
12. 德	dé	virtue; favour; short for Germany
德国	Déguó	Germany
德语	Déyǔ	German
道德	dàodé	moral
13. 待	dài	treat; wait for
等待	děngdài	wait
对待	duìdài	treat
接待	jiēdài	receive
14. 扛	káng	carry on the shoulder
扛起来	káng qǐlai	shoulder
15. 撕	sī	tear
撕碎	sīsuì	tear into pieces
16. 勇	yǒng	brave
勇敢	yǒnggǎn	brave
英勇	yīngyǒng	heroic
勇气	yǒngqì	courage
17. 势	shì	situation
形势	xíngshì	situation
优势	yōushì	superiority
手势	shǒushì	gesture
趋势	qūshì	trend
18. 劲	jìn	strength; spirit; manner; interest
费劲	fèi jìn	need great effort
使劲	shǐ jìn	exert all one's strength; make efforts

19. 浮	fú	float
浮动	fúdòng	float
下浮	xiàfú	drop
20. 池	chí	pool
游泳池	yóuyǒngchí	swimming pool
21. 滑	huá	slide；slippery
滑冰	huá bīng	skate
滑雪	huá xuě	ski
滑坡	huápō	landslide；come down
22. 慰	wèi	console
安慰	ānwèi	console
23. 愁	chóu	worry
发愁	fā chóu	worry
24. 甩	shuǎi	throw
甩手	shuǎi shǒu	refuse to do
甩卖	shuǎimài	reduction sale
25. 探	tàn	probe
探讨	tàntǎo	probe into
26. 吊	diào	hang
提心吊胆	tí xīn diào dǎn	be on tenterhooks
27. 呆	dāi	daze
发呆	fā dāi	be in a daze
28. 售	shòu	sell
出售	chūshòu	offer for sale
售货员	shòuhuòyuán	shop assistant
29. 雇	gù	employ
解雇	jiěgù	fire
30. 独	dú	only
独立	dúlì	independence
单独	dāndú	alone

31. 触	chù	touch
接触	jiēchù	get in touch with
32. 禁	①jìn	prohibition
禁止	jìnzhǐ	prohibit
	②jīn	contain (or restrain) oneself
不禁	bùjīn	can't help
33. 拔	bá	pull out
拔河	báhé	tug-of-war
选拔	xuǎnbá	select
34. 拨	bō	move with the finger
拨号	bō hào	dial
35. 微	wēi	slight
微笑	wēixiào	smile
略微	lüèwēi	slightly; somewhat
36. 徽	huī	badge
校徽	xiàohuī	school badge
国徽	guóhuī	national emblem

记忆窍门

Tips for Memorizing Work

一 形声字声旁记忆

Memorize the following characters with the given phonetic elements.

次 cì

(ˊ)	瓷	瓷器	cíqì	china
(zī)	资	工资	gōngzī	salary
		资源	zīyuán	resources
		合资	hézī	joint investment
		资料	zīliào	data

分 fēn

( ) 纷 ____________________

( ) 粉 ____________________

( ) 份 ____________________

(ˉ) 吩 吩咐 fēnfù instruct

(ˉ) 氛 气氛 qìfēn atmosphere

付 fù

( ) 符 ____________________

( ) 附 ____________________

( ) 府 ____________________

(ˋ) 咐 吩咐 fēnfù instruct

婴 yīng

(ˉ) 婴 婴儿 yīng'ér baby

(ˉ) 樱 樱桃 yīngtáo cherry

真 zhēn

(ˋ) 镇 小镇 xiǎozhèn town

镇静 zhènjìng calm

反 fǎn

(ˇ) 返 往返 wǎngfǎn go there and back

瓷	资	吩	氛	咐	婴	樱	镇	返

二 形声字形旁记忆

Memorize the following characters with the given pictographic elements.

酉——酗 xù 酗酒 xùjiǔ indulge in excessive drinking

酪 lào 奶酪 nǎilào cheese

彳——德 dé 德国 Déguó Germany

		德语	Déyǔ	German
		道德	dàodé	moral
待	dài	对待	duìdài	treat
		接待	jiēdài	receive；admit
		等待	děngdài	wait
扌——扛	káng	扛起来	káng qǐlai	shoulder
撕	sī	撕碎	sīsuì	tear into pieces
力——勇	yǒng	勇敢	yǒnggǎn	brave
		英勇	yīngyǒng	heroic
		勇气	yǒngqì	courage
势	shì	形势	xíngshì	situation
		优势	yōushì	superiority
		手势	shǒushì	gesture
		趋势	qūshì	trend
劲	jìn	费劲	fèi jìn	need great effort
		使劲	shǐ jìn	exert all one's strength；make efforts
氵——浮	fú	浮动	fúdòng	float
		下浮	xiàfú	drop
池	chí	游泳池	yóuyǒngchí	swimming pool
滑	huá	滑冰	huá bīng	skate
		滑雪	huá xuě	ski
		滑坡	huápō	landslide；come down
心——慰	wèi	安慰	ānwèi	console
愁	chóu	发愁	fā chóu	worry

酗	酪	德	待	扛	撕	勇	势	劲	浮	池	滑	慰	愁

三 基本字带字

Memorize the following characters with the given basic elements

用——甩

用 ______________________________

甩	shuǎi	甩手	shuǎi shǒu	refuse to do
		甩卖	shuǎimài	reduction sale

深——探

深 ______________________________

探	tàn	探讨	tàntǎo	probe into

吊——呆

吊	diào	提心吊胆	tí xīn diào dǎn	be on tenterhooks
呆	dāi	发呆	fā dāi	be in a daze

售——雇

售	shòu	出售	chūshòu	offer for sale
		售货员	shòuhuòyuán	shop assistant
雇	gù	解雇	jiěgù	fire

独——触

独	dú	独立	dúlì	independence
		单独	dāndú	alone
触	chù	接触	jiēchù	get in touch with

禁——梦——楚

禁	jìn	禁止	jìnzhǐ	prohibit
	jīn	不禁	bùjīn	can't help

梦 ______________________________

楚 ______________________________

拔——拨

拔	bá	拔河	báhé	tug-of-war
		选拔	xuǎnbá	select
拨	bō	拨号	bō hào	dial

微——徽

微	wēi	微笑	wēixiào	smile
徽	huī	校徽	xiàohuī	school badge
		国徽	guóhuī	national emblem

甩	探	吊	呆	雇	售	独	触	禁	拔	拨	微	徽

活用园地

Corner for Flexible Usage

一 组词

Form words and phrases.

瓷　瓷瓶　china vase

资　资本　capital　资本家 capitalist　资本主义　capitalism
资金　fund　合资　joint investment　外资　foreign capital
投资　invest　资格　qualifications　资助　aid financially
资产　property　资产阶级　bourgeoisie

氛　氛围　atmosphere

婴　婴孩　baby　婴幼儿　baby　男婴　baby boy　女婴　baby girl

樱　樱花　cherry blossom

镇　城镇　cities and towns　镇定　calm　乡镇　villages and towns
村镇　villages and small towns　镇压　suppress

返　返回　go back　返工　do poorly done work over again
返航　return to base or port　返校　return to school
一去不复返　gone never to return

德　德语　German　道德　morality　品德　moral character
美德　virtue　德育　moral education
同心同德　be of one heart and one mind

待　招待　entertain　招待所　hostel　期待　look forward to

看待 regard 急不可待 too impatient to wait 待遇 treatment
待业 unemployed

撕 撕开 tear apart 撕破 tear

勇 勇气 courage 勇士 warrior 勇于 be brave in
英勇 heroically 自告奋勇 offer to undertake

势 势力 force 势必 be bound to 势利 snobbery
局势 situation 手势 gesture 装腔作势 affected

劲 劲头 strength 鼓劲 boost one's morale 没劲 no fun

浮 浮力 buoyancy 浮现 appear before one's eyes
浮躁 impetuous 漂浮 float

池 池子 pool 池边 poolside 舞池 dance floor
鱼池 fishpond 水池 pool 电池 battery

滑 滑雪 ski 光滑 slippery

慰 宽慰 console 慰问 express sympathy and solicitude for
慰劳 bring gifts to someone in recognition of his/her services rendered

愁 犯愁 be worried 忧愁 worries 愁眉苦脸 wear a worried look

甩 甩卖 markdown sale 甩胳膊 swing one's arms

探 探望 visit 探亲 go home to visit one's family
探险 explore 探测 survey 试探 sound out
探头探脑 pop one's head in and look about

吊 吊车 crane 吊灯 pendent lamp 上吊 hang oneself

售 售货 sell goods 售票员 conductor
售票处 booking office 售价 price 出售 offer for sale
零售 retail 销售(xiāoshòu) sell

雇 雇员 employee

独 孤独 lonely 独自 alone 单独 singly 独唱 solo
独身 single 独生子 only son 独特 unique
独立自主 maintain independence and keep the initiative
独一无二 unparalleled

触 触觉 sense of touch 触犯 offend 感触 thoughts and feelings

禁 ①jìn
禁令 prohibition 禁区 forbidden zone
严禁 strictly forbidden 禁毒 drug control 禁赛 suspend
禁飞区 no-flight area 紫禁城 the Forbidden City

②jīn

禁不住 can't help doing something 禁受 endure

梦 梦见 see in a dream 梦想 vain hope 梦话 somniloquy

美梦 beautiful dream

拔 拔掉 pull out 拔高 unduely praise 选拔 select

一毛不拔 very stingy

拨 拨款 appropriate money 挑拨 sow discord

微 微小 small 微弱 weak 微观 microcosmic 轻微 slight

稍微 a little bit 微不足道 too insignificant to mention

显微镜 microscope 微乎其微 next to nothing

徽 国徽 national emblem 军徽 army emblem

队徽 team insignia 安徽 Anhui Province

二 认读句子

Read the following sentences and try to understand them.

1. 史密斯(sī)因为工作不努力,被公司解雇了。
   Smith was fired by the company because he had not worked hard.
2. 婴儿就是不满一岁的小孩。
   A baby is a child who is not one year old yet.
3. 我们班充满了友好的气氛,大家都互相学习,互相帮助。
   Our class is full of friendly atmosphere and we all learn from each other and help each other.
4. 中国景德镇(Jǐngdé Zhèn)的瓷器很有名。
   China's Jingdezhen is famous for its chinaware.
5. 她太生气了,把男朋友的照片都撕得粉碎了。
   She was so angry that she tore her boyfriend's photo into pieces.
6. 妈妈吩咐我下班的时候买点儿草莓和樱桃回来。
   Mom told me to buy some strawberries and cherries when I was off work.
7. 她微笑着对我说:"希望你早日恢复健康。"
   She said to me with a smile, "I wish you a speedy recovery."
8. 他最近很忙,正在准备论文的资料。
   He's been busy recently with collect data for his paper.

9. 这种奶酪不错,可是比较贵。
This kind of cheese, though tasting good, is rather expensive.
10. 这个售货员态度不错,对人很热情。
This shop assistant is kind to customers.
11. 你会滑冰吗?
Can you skate?
12. 你开车开慢点儿,我坐你的车总是提心吊胆的。
Slow down your car a bit. I'm always on tenterhooks when I ride in your car.
13. 洗衣机里的衣服甩干了,拿出来挂到外面去吧。
The washing machine has spin-dried the clothes. Let's take them out for airing.
14. 你坐在这儿发什么呆啊?
Why are you here staring blankly?
15. 大夫安慰病人说:"好好休息,你的病很快就会好的。"
The doctor consoled the patient by saying, "Have a good rest and you'll get well very soon."
16. 游泳池里人太多了。
There are too many people in the swimming pool.
17. 父亲告诉儿子,有了错误就应该勇敢地承认。
The father told his son that he should bravely admit whatever mistakes he had made.
18. 德国人很喜欢喝啤酒,是不是?
The Germans are fond of beer, aren't they?
19. 我跟他接触的时间并不长,所以对他不太了解。
I haven't known him long so I don't know much of him.
20. 今天我们把房间彻底打扫一下,怎么样?
Shall we give a thorough cleaning to the room today?
21. 最近国内经济形势不太好,商品价格向上浮动了不少。
The national economic situation is not very good, and prices are going up quite a lot.
22. 这个孩子独立生活能力很强。
The child has a strong ability to live independently.

23. 刚才你拨错了电话号码,所以打不通。
You dialed the wrong number. No wonder you couldn't get through.
24. 孩子们在进行拔河比赛。
The children are having a tug-of-war.
25. 他上班的地方离这儿很远,往返需要两个多小时。
His office is far away from here, and it takes over two hours to get there and come back.
26. 那不是一个城市,只是一个小镇,全镇总共只有一万人。
It's not a city but only a little town with a population of 10,000.
27. 他常常酗酒,还喜欢酒后驾车,有一次终于出事了。
He indulged in drinking, and often drove ofter drinking. He ran into an accident eventually.
28. 那时候家里很穷,妈妈常常为生活发愁。
His family was poor then, and his mother was often worried about living.
29. 他喜欢在咖啡馆里跟朋友们探讨哲学问题。
He loves to discuss philosophical issues with his friends in a coffee shop.
30. 所有的学生都必须穿校服,戴校徽。
All the students should wear their school uniforms and school badges.
31. 我这半年接待了好几个从国内来中国旅游的朋友,差点儿把我忙死了。
In the past half a year, I have received several friends who came on a visit to China from our country. And as a result I have been extremely busy.
32. 回国时如果早一点儿买飞机票的话,往返票的价钱跟单程票差不多。
If you buy the plane ticket early when you return, the price of the round-trip ticket would be the same as that of the one-way ticket.
33. 现在找工作很费劲,我东走西跑已经一个月了,还没找到一个理想的工作。
It's not easy to find a job now. I have been driven from pillar to post for a month, and still haven't found an ideal one.
34. 他很喜欢现在的工作,而且这个工作待遇也不错。
He likes his present job, and it is also rewarding finanlially.

自学园地

Corner for Self-study

一 给下列词语注音

Mark the following words with the right phonetic symbols.

资料	微笑	勇敢	奶酪	吩咐
(　　)	(　　)	(　　)	(　　)	(　　)
售货员	接触	禁止	瓷器	游泳池
(　　)	(　　)	(　　)	(　　)	(　　)

二 组词

Form words and phrases.

资:______	势:______	独:______	禁:______
池:______	滑:______	勇:______	劲:______
待:______	德:______	彻:______	浮:______

三 根据意思把左右两栏连起来

Match the words on the left column with the ones on the right.

等待	问题	必然的	微笑	独立	安慰
接待	勇气	甜蜜的	优势	彻底	接触
安慰	机会	庄严的	趋势	勇敢	面对
探讨	人才	宁静的	瓷器	单独	等待
解雇	手势	活跃的	国徽	热情	对待
接触	吸烟	明显的	资源	深入	失败
选拔	职员	精美的	气氛	耐心	思考
禁止	外宾	丰富的	小镇	区别	探讨
鼓起	问题				
打	病菌				

四 选词填空

Choose the right characters to fill in the blanks.

1. 别发______了，过来一起喝酒吧。 （吊、呆、杏）
2. 这次政府机关公开选______人才，吸引了大批的毕业生来应聘。 （拔、拨）
3. 你再使点儿______儿，我们俩就能把它扛起来。 （经、轻、劲）
4. 进入宾馆大厅，你就可以看到一块牌子，上面写着“德国来宾接______处”。 （持、待、诗）
5. 小小男子汉，______敢一点儿，自己摔倒自己爬起来，不能哭。 （勇、桶、俑）

五 阅读句子并回答问题

Read the following sentences and answer the questions accordingly.

1. “甩卖了、甩卖了，流行时装，跳楼价出售。”售货员沙哑着嗓子喊着。
   售货员正在做什么？
2. 一个人犯错误是难免的，重要的是，能否认真地承认错误，正确地对待错误并且勇于改正自己的错误。
   一个人应该怎样对待自己的错误？
3. 老板刚才走过来，就站在你后面，我在那边使劲给你使眼色，向你打手势，你连看都不看我。
   老板走过来时，发生了什么事？
4. 前两年，这支足球队在全国足球联赛中还处于绝对优势的地位。然而自从去年俱乐部解雇了德国教练以来，球队水平开始出现滑坡的趋势，比赛成绩也不断下降。
   这支球队足球水平前后有何不同？
5. 他终于鼓起勇气向他的女朋友求婚，现在正在等待女朋友的答复。已经是第三天了，他的心不禁不安起来。
   他为什么感到不安？
6. 今年五月以来，本地房地产价格终于出现了下浮的趋势，但价格浮动不大，离只靠工资收入生活的工薪阶层期望的价格还很远。
   依现在的房价，靠工资收入的人买得起买不起？
7. 经理刚一走进会议室，就发现气氛十分紧张，他略微有些吃惊，但很快就镇静下来，安慰大家说：“我知道最近大家都很辛苦，关于提高工资待遇，这个问题我们不是不可以商量，至于被解雇的那两个工人，也是事出有因。”
   会议室气氛为什么十分紧张？

29
LESSON

第二十九课

汉字园地

Corner for Chinese Characters

1. 鬼	guǐ	ghost; dirty trick; damnable
见鬼	jiàn guǐ	fantastic; go to hell
酒鬼	jiǔguǐ	drunkard
搞鬼	gǎo guǐ	play tricks
2. 愧	kuì	ashamed
3. 厨	chú	kitchen
厨房	chúfáng	kitchen
厨师	chúshī	cook; chef
4. 橱	chú	cabinet
橱窗	chúchuāng	show window
5. 滨	bīn	beach
海滨	hǎibīn	beach
哈尔滨	Hā'ěrbīn	Harbin
6. 坪	píng	lawn
草坪	cǎopíng	lawn
7. 添	tiān	add
增添	zēngtiān	add
8. 髦	máo	fashionable
时髦	shímáo	fashionable

9.	炸	①zhà	bomb
	炸弹	zhàdàn	bomb
	爆炸	bàozhà	explode
		②zhá	deep-fry
	炸鸡腿	zhá jītuǐ	deep-fried drumsticks
10.	诈	zhà	fraud
	诈骗	zhàpiàn	fraud
11.	稍	shāo	slightly
	稍微	shāowēi	slightly
12.	捎	shāo	bring
	捎东西	shāo dōngxi	bring something to
	捎信	shāo xìn	take a message
13.	蹈	dǎo	dance
	舞蹈	wǔdǎo	dance
14.	稻	dào	rice
	稻田	dàotián	rice field
15.	逢	féng	meet
	每逢	měiféng	on each occasion
16.	暂	zàn	temporary
	暂时	zànshí	temporarily
	短暂	duǎnzàn	transient
17.	惭	cán	feel ashamed
	惭愧	cánkuì	be ashamed
18.	慕	mù	admire
	仰慕	yǎngmù	admire; yearn for
19.	幕	mù	curtain; screen
	开幕	kāimù	open; inaugurate
	闭幕	bìmù	close; conclude
20.	杀	shā	kill
	自杀	zìshā	suicide

	杀毒	shādú	kill viruses
	谋杀	móushā	murder
	暗杀	ànshā	assassinate;assasination
21.	刹	①shā	stop
	刹车	shā chē	brake
		②chà	instant
	一刹那	yíchànà	instant
22.	秀	xiù	excellent;elegant;show
	优秀	yōuxiù	excellent
	时装秀	shízhuāng xiù	fashion show
23.	透	tòu	pass through;tell secretly; thoroughly
	透明	tòumíng	transparent
	透露	tòulù	disclose
24.	赞	zàn	approve
	赞成	zànchéng	approve
	称赞	chēngzàn	praise
25.	攒	zǎn	collect
	攒钱	zǎn qián	save money
26.	崇	chóng	high
	崇高	chónggāo	lofty
	崇拜	chóngbài	worship
27.	羡	xiàn	admire
	羡慕	xiànmù	envy;admire
28.	皱	zhòu	wrinkle
	皱纹	zhòuwén	wrinkle
	皱眉头	zhòu méitou	frown
29.	尽	①jìn	exhaust
	尽力	jìnlì	try one's best
		②jǐn	
	尽可能	jǐnkěnéng	to the best of one's ability
30.	熊	xióng	bear
	熊猫	xióngmāo	panda

31. 企	qǐ	seek for
企业	qǐyè	enterprise; business
企图	qǐtú	attempt
32. 纤	xiān	fine; minute; fibre
纤细	xiānxì	slender; fine
33. 绢	juàn	thin; tough silk
手绢	shǒujuàn	handkerchief
34. 脖	bó	neck
脖子	bózi	neck
35. 胸	xiōng	chest
胸口	xiōngkǒu	chest
36. 盆	pén	basin
花盆	huāpén	flowerpot
37. 盗	dào	rob
盗版	dàobǎn	piracy
防盗门	fángdào mén	burglarproof door
38. 盐	yán	salt
食盐	shíyán	table salt

记忆窍门

Tips for Memorizing Work

一 形声字声旁记忆

Memorize the following characters with the given phonetic elements.

鬼 guǐ

(ˇ)	鬼	见鬼	jiàn guǐ	absurd; go to hell
		酒鬼	jiǔguǐ	drunkard

		搞鬼	gǎoguǐ	play tricks
	(kuì) 愧	惭愧	cánkuì	be ashamed
厨	chú			
	(ˊ) 厨	厨房	chúfáng	kitchen
		厨师	chúshī	cook
	(ˊ) 橱	橱窗	chúchuāng	show window
宾	bīn			
	(ˉ) 滨	海滨	hǎibīn	beach
		哈尔滨	Hā'ěrbīn	Harbin
平	píng			
	(ˊ) 坪	草坪	cǎopíng	lawn
天	tiān			
	(ˉ) 添	增添	zēngtiān	add
毛	máo			
	(ˊ) 髦	时髦	shímáo	fashionable

鬼	愧	厨	橱	滨	坪	添	髦

二 比较下列形近字

Compare the following characters with similar pictographic elements.

炸——诈

炸	zhà	炸弹	zhàdàn	bomb
		爆炸	bàozhà	explode
	zhá	炸鸡腿	zhá jītuǐ	deep-fried drumsticks
诈	zhà	诈骗	zhàpiàn	fraud

稍——捎

稍	shāo	稍微	shāowēi	slightly

捎	shāo	捎东西	shāo dōngxi	bring something to
		捎信	shāo xìn	take a message

蹈——稻

蹈	dǎo	舞蹈	wǔdǎo	dance
稻	dào	稻田	dàotián	rice field

峰——逢

峰				
逢	féng	每逢	měiféng	on each occasion

暂——惭

暂	zàn	暂时	zànshí	temporarily
		短暂	duǎnzàn	transient
惭	cán	惭愧	cánkuì	be ashamed

慕——幕

慕	mù	仰慕	yǎngmù	admire; yearn for
幕	mù	开幕	kāimù	open; inaugurate
		闭幕	bìmù	close; conclude

炸	诈	稍	捎	蹈	稻	逢	暂	惭	慕	幕

三 基本字带字

Memorize the following characters with the given basic elements.

杀——刹

杀	shā	自杀	zìshā	suicide
		杀毒	shādú	kill viruses
		谋杀	móushā	murder
		暗杀	ànshā	assassinate; assasination
刹	shā	刹车	shā chē	brake
	chà	一刹那	yíchànà	instant

秀——透

秀	xiù	优秀	yōuxiù	excellent

	时装秀	shízhuāng xiù	fashion show
透 tòu	透明	tòumíng	transparent
	透露	tòulù	disclose

赞——攒

赞 zàn	赞成	zànchéng	approve
	称赞	chēngzàn	praise
攒 zǎn	攒钱	zǎn qián	save money

宗——崇

宗 ____________________

崇 chóng	崇高	chónggāo	lofty
	崇拜	chóngbài	worship

次——羡

次 ____________________

羡 xiàn	羡慕	xiànmù	envy

皮——皱

皮 ____________________

皱 zhòu	皱眉头	zhòu méitou	frown
	皱纹	zhòuwén	wrinkle

尺——尽

尺 ____________________

尽 jǐn	尽可能	jǐnkěnéng	to the best of one's ability
jìn	尽力	jìnlì	try one's best

能——熊

能 ____________________

熊 xióng	熊猫	xióngmāo	panda

止——企

止 ____________________

企 qǐ	企业	qǐyè	enterprise; business
	企图	qǐtú	attempt

杀	刹	秀	透	赞	攒	崇	羡	皱	尽	熊	企

四 形声字形旁记忆

Memorize the following characters with the given pictographic elements.

纟——	纤	xiān	纤细	xiānxì	slender; fine
	绢	juàn	手绢	shǒujuàn	handkerchief
月——	脖	bó	脖子	bózi	neck
	胸	xiōng	胸口	xiōngkǒu	chest
皿——	盆	pén	花盆	huāpén	flowerpot
	盗	dào	盗版	dàobǎn	piracy
			防盗门	fángdào mén	burglarproof door
	盐	yán	食盐	shíyán	salt

纤	绢	脖	胸	盆	盗	盐

活用园地

Corner for Flexible Usage

一 组词

Form words and phrases.

鬼 鬼话 false words　做鬼脸 make faces　捣鬼 play tricks
酒鬼 drunkard　烟鬼 heavy smoker　胆小鬼 coward
鬼天气 damnable weather　鬼头鬼脑 thievishly

愧 羞愧 ashamed　不愧 deserve　愧色 ashamed look
当之无愧 deserve　问心无愧 have a clear conscience

厨 厨师 cook　名厨 chef　厨艺 art of cooking
厨具 kitchen utensils

橱　橱柜 cabinet　书橱 bookcase　衣橱 wardrobe
　碗橱 cupboard　壁橱 closet

滨　湖滨 lakeside　哈尔滨 Harbīn

坪　停车坪 parking lot

添　添加 add　添置 add to one's possessions　添补 replenish
　添油加醋 add color and emphasis to　画蛇添足 guild the lily

炸　①zhá
　油炸 deep-fry　炸鱼 fried fish　炸肉 fried meat
　②zhà
　炸药 dynamite　炸雷 a clap of thunder

诈　敲诈 blackmail　欺诈 cheat　兵不厌诈 there can never be

稍　稍稍 slightly　稍许 a bit

捎　捎话 take a message to　捎带 incidentally　捎信 take a message to

蹈　手舞足蹈 dance for joy

稻　水稻 rice　稻草 rice straw　稻苗 rice shoots

逢　相逢 encounter　重逢 meet again
　逢年过节 on New Year's Day or other festivals

暂　短暂 transient　暂且 for the time being　暂停 suspend
　暂定 arranged for the time being　暂住 stay

惭　大言不惭 brag unblushingly

幕　夜幕 veil of night　第一幕 the first act　幕后 backstage

慕　爱慕 love; adore　仰慕 admire

杀　杀人 murder　杀害 kill　枪杀 shoot　暗杀 assassinate
　谋杀 murder

秀　清秀 delicate and pretty　秀气 delicate　秀丽 beautiful
　秀美 graceful　作秀 show　脱口秀 talk show

透　透光 photic　透气 ventilate　透风 ventilate
　透亮 bright　透射 pass through　透露 reveal
　透视 X-ray examination　透顶 thoroughly
　糟透了 cannot be worse　湿透了 soaked to the skin
　倒霉透顶 thoroughly bad luck

赞　赞美 eulogize　赞叹 highly praise　赞同 approve of　赞扬 praise
　赞助 support　赞赏 appreciate　赞许 speak favorably of

赞礼 master of ceremonies 赞歌 song of praise
参赞 counsellor 称赞 praise 赞不绝口 be profuse in praise

攒 积攒 save money

崇 崇拜 worship 崇敬 esteem 崇尚 uphold
推崇 hold in esteem 尊崇 hold in respect

皱 皱皱巴巴 wrinkled 弄皱了 make it wrinkled

尺 尺子 ruler 尺寸 size 尺度 scale 尺码 measures
公尺 meter 得寸进尺 give him an inch and he'll ask for a yard

尽 ①jǐn
尽量 to the best of one's ability
②jìn
尽早 as early as possible 尽管 in spite of
尽快 as soon as possible 尽头 end 详尽 detailed
无穷无尽 limitless 尽力 try one's best
尽心 with all one's heart 尽情 to one's heart's content

企 企图 attempt 企求 desire to gain 企望 hope for
企及 hope to reach 企鹅 penguin

纤 纤细 slender

脖 围脖 scarf 卡脖子 seize somebody by the throat

胸 胸怀 mind;heart 胸无大志 cherish no lofty;goal 胸部 chest
胸围 bust 胸章 badge 心胸 mind 胸前 in front of the chest
胸中有数 have a pretty good idea of how things stand
胸有成竹 have a well-thought-out plan

盆 脸盆 washbasin 盆地 basin 盆景 potted landscape

盗 盗用 embezzle 防盗门 burglarproof door 海盗 pirate
强盗 robber 偷盗 rob

盐 盐湖 salt lake 盐水 salt solution

二 认读句子

Read the following sentences and try to understand

1. 见鬼,我刚才把书放哪儿了?
Damned, where did I leave my books just now?

2. 不要用鬼来吓孩子,这样对孩子不好。
Don't intimidate children with ghosts, for it will do harm to them to do so.
3. 原来是我错怪了他,我心里觉得很惭愧。
It turned out that I had wronged him, and I feel ashamed.
4. 他妈妈正在厨房做饭呢。
His mother is cooking in the kitchen.
5. 橱窗里那件红色的衣服真漂亮。
Isn't the red dress in the show window pretty!
6. 大连是一个海滨城市,环境不错。
Dalian is a coastal city with an excellent natural environment.
7. 这个足球场的草坪真棒。
The lawn of the football field is really great.
8. 这次来给你添了不少麻烦,真不好意思。
Sorry to have given you so much trouble this time.
9. 这个孩子特别喜欢吃炸鸡腿,所以常常要他妈妈带他去肯德基。
The child is especially fond of fried drumsticks, and often asks his mother to take him to one of the Kentucky Fried Chicken restaurants.
10. 听说有人在那个公园里放了一颗炸弹。
It's said that someone left a bomb in the park.
11. 那个年轻人在半年多的时间里,一共诈骗了一百多万元。
The young man hadswindled over a million *yuan* during the past half a year and more.
12. 这件衣服颜色稍微深了点儿,有没有再浅一点儿的?
The color of this jacket is a little too dark. Have you any other jackets in a lighter color?
13. 请你捎个口信给他,让他明天尽可能早点儿来。
Please take this message to him and ask him to come tomorrow as early as he can.
14. 每逢星期二、星期五下午,我要去民族学院学习舞蹈。
On Tuesday and Friday afternoons, I always go to the Institute of Nationalities to learn dancing.
15. 我还没找到房子,暂时住在我朋友那儿。
I have not found a house yet, and I am staying with a friend of mine temperarily.

16. 听到他自杀的消息,我真是太吃惊了。
I was really shocked to learn about his suicide.
17. 他们俩现在正在攒钱买房子。
They are saving up for a house.
18. 我不赞成他的意见。
I don't agree with his idea.
19. 他有一个崇高的理想,那就是在奥运会上为他的国家赢得金牌。
He has a lofty idea — that is to win a gold medal for his country in one of the Olympic Games.
20. 他在一家大跨国公司工作,工作条件不错,待遇也很高,所以他的同学都羡慕他。
He works in a large transnational corporation, where both the working conditions and pay are very good. And his classmates all envy him.
21. 动物园里大熊猫的精彩表演给孩子们增添了很多的乐趣。
The brilliant performances of the pandas in the zoo brought a lot of additional pleasure to the children.
22. 2008 年 10 月奥运会在北京开幕,到时候你来吗?
The Olympic Games will be inaugurated in Beijing in October, 2008. Are you going to come then?
23. 我最喜欢的动物是企鹅,它样子虽然很笨,但是我觉得它笨得可爱。
The animal I love the best is the penguin. Although they look rather clumsy, I think they are lovely.
24. 那家企业前不久倒闭了,因为他们生产的汽车刹车片老出问题。
The compay closed down not long ago, for something is always wrong with the auto brake shoes it produced.
25. 那位演员手里拿着一块手绢,正在变魔(mó)术。
The actor is playing magic with a handkerchief in his hand.
26. 我看了一晚上的电视,脖子都累了。
I've been watching TV all night and my neck is aching.
27. 胸前戴着红花的就是新郎。
The man with a red flower on his chest is the bridegroom.
28. 你整天皱着眉头,有什么不痛快的事吗?
You've been frownng all day long. Have you met with something unpleasant?
29. 花盆里的花几天没浇水了吧,都快干死了。
The flowers in the pot have not been watered for days, and they're dying.

30. 报纸上说,博物馆的一些名画昨天被盗了。
The newspaper says that some famous paintings in the museum were stolen yesterday.
31. 听说每天早上喝一杯盐水,这样对嗓子很好。
I was told that it is good to one's throat to drink a glass of salt solution every morning.
32. 飞机飞得很快,一刹那就不见了。
The plane flew fast and disappeared in the twinkle of an eye.
33. 他叔叔是一位优秀的律师。
His uncle is an excellent lawyer.
34. 水是一种没有颜色、没有味道、没有形状、透明的液体。
Water is a kind of liquid, colorless, tasteless, shapeless and transparent.
35. 天太热了,运动员出了很多汗,衣服都湿透了。
It's too hot and the sportsmen perspired a lot. They are soaked to the skin.
36. 几年以前,这儿还是一片稻田,现在却已经是一个新的住宅区了。
Only a few years ago, here were all rice fields, but now a new residence area has been built.
37. 这些唱片有的是盗版的,质量不好,你最好别买。
Some of these records are piratic editions. They're of bad quality, and you'd better not buy them.

自学园地

Corner for Self-study

一 给下列词注音

Mark the following words with the right phonetic symbols.

厨房	爆炸	透露	皱纹	稍微
(　　)	(　　)	(　　)	(　　)	(　　)
羡慕	诈骗	称赞	仰慕	
(　　)	(　　)	(　　)	(　　)	

二 写出本课含有下列偏旁的汉字

Write out the characters with the following radicals in this lesson.

禾:(shāo)_____微　　水(dào)_____　　优(xiù)_____
皿:花(pén)_____　　(dào)_____版　　食(yán)_____
氵:海(bīn)_____　　增(tiān)_____
月:(bó)_____子　　(xiōng)_____口
辶:每(féng)_____　　(tòu)_____明
扌:(shāo)_____信　　(zǎn)_____钱

三 组词

Form words and phrases.

秀:_____ _____　　赞:_____ _____
慕:_____ _____　　杀:_____ _____
暂:_____ _____　　鬼:_____ _____
尽:_____ _____　　企:_____ _____
崇:_____ _____　　炸:_____ _____

四 在括号内加上合适的词语

Fill in the blanks with the right words and phrases.

攒(　　)　　(　　)的厨房　　优秀的(　　)　　诈骗(　　)
皱(　　)　　(　　)的舞蹈　　透明的(　　)　　称赞(　　)
尽(　　)　　(　　)的酒鬼　　崇高的(　　)　　透露(　　)
剥(　　)　　(　　)的熊猫　　短暂的(　　)　　仰慕(　　)
杀(　　)　　(　　)的企业　　暂时的(　　)　　崇拜(　　)
炸(　　)　　捎(　　)　　添(　　)

五 阅读句子并回答问题

Read the following sentences and answer the questions accordingly.

1. 据该报报道,昨天晚上在一家咖啡馆又发生了一起自杀式炸弹爆炸事件,有五人在爆炸中身亡,另有十二人受伤。
   该报报道了什么消息?
2. 小时候,他特别崇拜他爸爸,那时候他爸爸是一家大公司的董事长,后来因为经营不善,也因为公司副总经理暗中搞鬼,公司倒闭了。从此,他爸爸就每天借酒浇愁,变成了一个酒鬼。
   他爸爸为什么成了一个酒鬼?
3. 每年冬天,在东北城市哈尔滨都会有冰灯展览,那一件件透明精美的冰灯、冰雕(diāo,ice carving)艺术品,赢得了中外游客的一致称赞。
   中外游客一致称赞什么?
4. 那些时髦的服装只适合T型台上模特儿穿着表演时装秀,而不适合普通人穿。我倒是觉得,优秀的时装应该是既时髦又实用。
   说话人对那些时髦的服装有什么看法?
5. 我在这所令人仰慕的大学学习了一年汉语,时光虽然短暂,但是,老师们的热情、同学们的友善将会永远留在我的记忆里,这里的一切,都给我留下了美好的印象。
   说话人对这所学校的印象怎么样?
6. 老人一生都在尽力培养她的学生,如今早已是桃李满天下。在她九十大寿来临之际,看到从各地赶来为她祝寿的学生,老人布满皱纹的脸上充满了笑容。
   为了什么日子学生从各地赶来?
7. 昨天,那家公司的老总在广州的一家酒店遭到暗杀。是谁谋杀了他,又是什么原因引发了这次严重的谋杀行动,这一案件警方正在调查之中。
   那位老总为什么会遭到暗杀?
8. 网上购物现在受到了越来越多的人的欢迎。不但方便,价格也公平,像这套杀毒软件,网上购买比在商店里买还要便宜30块钱。
   网上购物有什么好处?

30 LESSON

第三十课

汉字园地

Corner for Chinese Characters

1. 毫	háo	iota
毫不	háobù	not in the least
毫无	háowú	without
丝毫	sīháo	the slightest amount or degree
2. 豪	háo	luxury
自豪	zìháo	proud
豪华	háohuá	luxurious
3. 趁	chèn	while；take
趁机	chènjī	take the chance
趁早	chènzǎo	as soon as possible
4. 珍	zhēn	treasure
珍贵	zhēnguì	valuable
珍惜	zhēnxī	treasure；cherish
5. 诊	zhěn	examine a patient
急诊	jízhěn	emergency call
诊所	zhěnsuǒ	clinic
6. 锅	guō	pot
火锅	huǒguō	chafing dish
7. 祸	huò	catastrophe

车祸	chēhuò	traffic accident
8. 锐	ruì	sharp
尖锐	jiānruì	sharp
9. 税	shuì	tax
免税	miǎnshuì	duty-free
纳税	nàshuì	pay taxes
10. 届	jiè	fall due; a measure word for meetings, graduating classes, etc.
首届	shǒujiè	the first occasion; term, session, etc.
届时	jièshí	on the occasion, when the time comes
11. 袖	xiù	sleeve
袖珍	xiùzhēn	pocket-size
领袖	lǐngxiù	leader
12. 哎	āi	hey
哎呀	āiyā	ah
哎哟	āiyō	ouch
13. 哩	lī	
哩哩啦啦	līli-lālā	scattered; sporadic
14. 哼	①hēng	groan; hum
哼着歌	hēngzhe gē	hum a song
	②hng	humph
15. 哇	①wā	the sound of vomiting or crying
哇哇叫	wāwā jiào	burst out crying
	②wa	inflection of 啊 a after a word ending in "u" or "ao"
16. 吻	wěn	kiss

亲吻	qīnwěn	kiss
17. 嚷	rāng	make a noise
嚷嚷	rāngrang	make a noise
18. 跨	kuà	stride across
跨国公司	kuàguó gōngsī	transnational corporation
19. 跃	yuè	leap
活跃	huóyuè	active;enliven
20. 拆	chāi	take apart
拆除	chāichú	pull down; demolish
21. 掀	xiān	lift;start
掀起	xiānqǐ	raise
22. 捧	pěng	hold in both hands
吹捧	chuīpěng	flatter
捧杯	pěngbēi	win the cup; win a championship
23. 扭	niǔ	twist;turn round
扭转	niǔzhuǎn	turn round
歪歪扭扭	wāiwāi niǔniǔ	askew;crooked
24. 逆	nì	inverse
逆行	nìxíng	go in the wrong direction
逆耳	nì'ěr	(of a poignant but to-the-point remark) unpleasant to the ear
25. 丑	chǒu	ugly
小丑	xiǎochǒu	clown
26. 雄	xióng	male;grand
雄伟	xióngwěi	magnificent
英雄	yīngxióng	hero
27. 雌	cí	female
雌性	cíxìng	female
28. 贫	pín	poor
贫穷	pínqióng	poverty

29. 彼	bǐ	you
彼此	bǐcǐ	each other
30. 县	xiàn	county
县城	xiànchéng	county seat
31. 肃	sù	respectful
严肃	yánsù	solemn
32. 戚	qī	relative
亲戚	qīnqi	relative
33. 属	shǔ	belong
属于	shǔyú	belong to
属相	shǔxiàng	any of the 12 animals representing the 12 Earthly Branches, used to symbolize the year in which a person is born.
34. 训	xùn	instruct
训练	xùnliàn	train
教训	jiàoxùn	teach sb. a lesson; lesson
培训	péixùn	train
35. 棉	mián	cotton
棉花	miánhuā	cotton
36. 俗	sú	custom; popular
习俗	xísú	custom
俗话	súhuà	common saying
通俗	tōngsú	popular
37. 替	tì	take the place of; replace for
代替	dàitì	replace
替换	tìhuàn	take the place of
38. 卧	wò	lie
卧室	wòshì	bedroom
卧铺	wòpù	sleeping berth

记忆窍门

Tips for Memorizing Work

一 比较形近字

Compare the following characters with similar pictographic elements.

毫——豪

毫	háo	毫不	háobù	not in the least
		毫无	háowú	without
		丝毫	sīháo	the slightest amount of degree
豪	háo	豪华	háohuá	luxurious
		自豪	zìháo	proud

趁——珍——诊

趁	chèn	趁机	chènjī	take the chance
		趁早	chènzǎo	as soon as possible
珍	zhēn	珍贵	zhēnguì	valuable
		珍惜	zhēnxī	cherish
诊	zhěn	急诊	jízhěn	emergency call
		诊所	zhěnsuǒ	clinic

锅——祸

锅	guō	火锅	huǒguō	chafing dish
祸	huò	车祸	chēhuò	traffic accident

锐——税

锐	ruì	尖锐	jiānruì	sharp
税	shuì	免税	miǎnshuì	duty-free
		纳税	nàshuì	pay taxes

届——袖

届	jiè	首届	shǒujiè	the first occasion, term, etc.
		届时	jièshí	on the occasion
袖	xiù	袖珍	xiùzhēn	pocket-size
		领袖	lǐngxiù	leader

毫	豪	趁	珍	诊	锅	祸	锐	税	届	袖

二 形声字形旁记忆

Memorize the following characters with the given pictographic elements.

口——哎 āi 哎！真是想不到的事。Why, it's really unexpected!

哎，你怎么不早跟我说呢？But why didn't you tell me sooner?

哎呀 āiyā ah (expressing surprise)

哎呀！我的笔丢了。Oh, dear! I've lost my pen.

哎哟 āiyō ouch (expressing surprise or pain)

哩 li 山上的雪还没化哩。The snow on the mountain has not yet thawed.

lī 哩哩啦啦 līli-lālā scattered; sporadic

哼 hēng 哼着歌 hēngzhe gē hum a song

hng 哼，你信他的！Humph! You belive him?

哇 wā 打得孩子哇哇叫 the spanking was too much for the child, who burst out crying

wa 你好哇？Well, how are you?

吻 wěn 亲吻 qīnwěn kiss

嚷 rāng 嚷嚷 rāngrang make a noise

足——跨 kuà 跨国公司 kuàguó gōngsī transnational corporation

跃 yuè 活跃 huóyuè active; enliven

扌——拆 chāi 拆除 chāichú pull down; demolish

掀 xiān 掀起 xiānqǐ raise

捧 pěng 吹捧 chuīpěng flatter

both hands

捧杯 pěngbēi win the cup

扭 niǔ 扭转 niǔzhuǎn turn round

歪歪扭扭 wāiwāi niǔniǔ crooked

哎	哩	哼	哇	吻	嚷	跨	跃	拆	掀	捧	扭

三 比较反义词

Compare the following antonyms.

顺——逆

顺	________			
逆	nì	逆行	nìxíng	go in the wrong direction
		逆耳	nì'ěr	(of a poignant but to-the-point remark) unpleasant to the ear

美——丑

美	________			
丑	chǒu	小丑	xiǎochǒu	clown

雄——雌

雄	xióng	雄伟	xióngwěi	magnificent
		英雄	yīngxióng	hero
雌	cí	雌性	cíxìng	female

贫——富

贫	pín	贫穷	pínqióng	poverty
富	________			

彼——此

彼	bǐ	彼此	bǐcǐ	each other
此	________			

逆 丑 雄 雌 贫 彼

四 组词学字

Learn the following characters through their collocation.

县 xiàn

县城 xiànchéng county seat

肃	sù		
	严肃	yánsù	solemn
戚	qī		
	亲戚	qīnqi	relative
属	shǔ		
	属于	shǔyú	belong
	属相	shǔxiàng	any of the 12 animals representing the 12 Earthly Branches, used to symbolize the year in which a person is born.
训	xùn		
	训练	xùnliàn	train
	教训	jiàoxùn	teach somebody a lesson; lesson
	培训	péixùn	train
棉	mián		
	棉花	miánhuā	cotton
俗	sú		
	习俗	xísú	custom
	俗话	súhuà	common saying
	通俗	tōngsú	popular
替	tì		
	代替	dàitì	replace
	替换	tìhuàn	take the place of
卧	wò		
	卧室	wòshì	bedroom
	卧铺	wòpù	sleeping berth

县	肃	戚	属	训	棉	俗	替	卧

活用园地

Corner for Flexible Usage

一 组词

Form words and phrases.

毫　毫米 millimeter　毫克 milligram　毫升 milliliter　丝毫 an iota
豪　自豪 be proud of sth.　富豪 tycoon　文豪 man of letters
趁　趁早 as early as possible　趁势 take advantage of a favorable situation
趁热打铁 strike while the iron is hot
珍　珍珠 pearl　珍宝 jewellery　珍藏 collect　珍视 prize
珍奇 rare
诊　门诊 outpatient service　确诊 make a definite diagnosis
初诊 one's first visit to a doctor or hospital　复诊 subsequent visit
会诊 group consultation　诊断 diagnosis　诊所 clinic
锅　饭锅 rice cooker　沙锅 earthenware pot　烧锅 distillery
锅巴 crust of cooked rice　锅贴儿 lightly fried dumpling
祸　祸害 disaster　闯祸 get into trouble　灾祸 calamity
人祸 man-made calamity　惹祸 court disaster
天灾人祸 natural and man-made calamities
幸灾乐祸 take pleasure in other people's misfortune
锐　锐利 sharp　锐气 dash　精锐 crack
税　交税 pay taxes　上税 pay taxes　逃税 evade a tax
偷税 evade a tax　漏税 dodge a tax　征税 levy taxes
税单 tax form　税收 tax revenue　税务 tax affairs
税务局 tax bureau
届　上届 last　下届 next　应届 this year's　历届 all previous
本届 current
袖　袖子 sleeves　袖管 sleeve　袖口 cuff of a sleeve　领袖 leader
袖手旁观 look on with folded arms
吻　接吻 kiss　吻别 kiss sb. goodbye　飞吻 blow a kiss　口吻 tone
跃　跳跃 leap　飞跃 leap　跃跃欲试 be eager to have a try

拆　拆除 demolish 拆散 break up 拆洗 take apart and clean
拆台 cut the ground from under one's feet
过河拆桥 pull down the bridge after crossing the river—drop one's benefactor once his help is no longer needed

掀　掀动 launch 掀翻 throw over

捧　捧场 be a member of a claque
捧着花 hold the flowers in both hands
捧着盘子 hold the plate in both hands

扭　扭转 turn round 扭伤 sprain 扭了腰 sprain one's back
别扭(bièniu) awkward 扭扭捏捏 be affectedly bashful

逆　逆风 go against the wind 逆水 go against the current
逆流 adverse current 逆境 adverse circumstances
逆耳 be unpleasant to the ear 逆差 deficit

丑　丑八怪 a very ugly person 丑恶 ugly 丑化 uglify 丑闻 scandal

雄　英雄 hero 奸雄 arch-careerist 雄厚 abundant
雄健 robust 雄图 a grandiose plan 雄心 great ambitions
雄心壮志 lofty aspirations and high ideals 雄壮 magnificent

雌　雌花 female flower 雌雄 male and female

贫　贫困 poverty 贫贱 poor and lowly 贫民 poor people
贫气 stingy 贫苦 poverty-stricken 清贫 of scanty means
贫弱 poor and weak

彼　彼岸 the other side of the river, sea, etc.
顾此失彼 cannot attend to one thing without neglecting the other
厚此薄彼 favor one and be prejudiced against the other
知己知彼 know the enemy and know yourself
由此及彼 from one to the other

县　县长 the head of a county

肃　肃静 hush 肃清 eliminate

属　亲属 kinsfolk 家属 family dependents 下属 subordinate
附属 attached 属实 prove to be true

训　教训 teach sb. a lesson 训导 instruct and guide
集训 assemble for training 培训 train

棉　棉布 cotton cloth 棉花 cotton 棉裤 cotton-padded trousers
棉衣 cotton-padded clothes 药棉 absorbent cotton

俗　民俗 folk custom 习俗 custom 世俗 mundane 粗俗 vulgar

俗气　vulgar　入乡随俗　when in Rome do as the Romans do
约定俗成　accepted through common practice
俗话　common saying　旧俗　outdated customs　通俗　popular

替　替补　substitute for　替代　replace　替身　replacement
替罪羊　scapegoat

二　认读句子

Read the following sentences and try to understand them.

1. 如果她想做一件事,她就会毫不犹豫地去做,她这个人性格就是这样。
   She is just like that: whenever she has set her mind on something, she will do it without hesitation.
2. 这是一家豪华饭店,所以房费很贵。
   This is a luxurious hotel and the rooms are expensive.
3. 趁他不注意,小偷趁机偷走了他的钱。
   Catching him unaware, the thief stole his money.
4. 今天是星期天,那个医院只有急诊,我们去别的医院吧。
   It's Sunday today and the hospital only offers emergency treatment. Let's go to another hospital.
5. 前面发生了车祸,路都被堵住了。
   A traffic accident has occurred ahead of the road, and there's a traffic jam now.
6. 你喜欢吃火锅吗?我很喜欢,因为我觉得吃火锅很热闹。
   Do you like the chafing dish? Yes, I do. Because I think we can have a jolly time while having dish chafing.
7. 那些记者向他提出了很多尖锐的问题。
   Those journalists asked him lots of sharp questions.
8. 从国外带来的东西,有的不免税,需要按规定交税。
   Certain things brought back from overseas need paying duty.
9. 他掀起卧室的窗帘往外一看,哇,好大的雪!
   He lifted the curtain of the bedroom and looked out. Wow, what great snow!
10. 我朋友送给我一本袖珍英汉词典。
    A friend of mine gave me a pocket-sized English-Chinese dictionary.
11. 每次睡觉前,妈妈都要亲吻孩子的脸,对她说"晚安"。
    Every time before going to bed, the mother kisses goodnight to her child.

12. 人们在机场手捧鲜花迎接回国的运动员。
Flowers in hands, people are meeting the homecoming sportsmen at the airport.
13. 妈妈给我寄来一封信,我拆开一看,里面还有一张照片。
My mom sent me a letter, and when I opened it, I found a photo inside.
14. 那个孩子正在学走路,走得歪歪扭扭的,我真怕他会摔倒。
The boy's learning to walk. He's hobbling all along, and I'm afraid he will fall.
15. 他突然肚子疼得直哼哼,咱们快带他去校内的那家诊所看急诊吧。
Suddenly he groaned with stomachache. Let's take him to the clinic in the university for emergency treatment.
16. 他爸爸现在住在那个小县城的一个亲戚家里,下星期才能回来。
His father is staying with his relatives in that little county town and won't be back until next week.
17. 小时候,我爸爸总是很严肃的样子,他一瞪(dèng)眼睛,我就像老鼠见了猫一样。
When I was a child, my father was always very solemn-looking. Whenever he glared at me, I would behave like a mouse that has seen a cat.
18. 你骑自行车逆行,违反了交通规则。
You have cycled in the wrong direction, violating one of the traffic regulations.
19. 马克在那个电影里演了一个愚蠢的小丑。
Mark played a stupid clown in that film.
20. 这件珍贵的礼物,是我十八岁生日时爸爸送给我的。
This precious present was given by my dad on my 18th birthday.
21. 这些工厂现在还属于国家。
These factories now still belong to the state.
22. 雄伟的万里长城是中国的象征。
The magnificent Great Wall is the symbol of China.
23. 据专家说这条鱼是雌性的,我怎么看不出来?
According to specialists, this fish is female. How come I cannot tell?
24. 他的家乡现在还很贫穷。
His hometown is still very poor.
25. 他是我同屋,我们彼此很了解。
He's my roommate, and we know each other very well.
26. 那个人正在训练大象打篮球,当然是用鼻子。
The man is training the elephants to play basketball, with their noses, of course.

27. 冬天屋子里有暖气，不需要那么厚的棉被。

The heating is on in the room in winter, and we don't need such a thick cotton-padded quilt.

28. 这种袜子是棉的，质量比较好。

These socks are made of cotton, and they are of good quality.

29. 我的国家有很多习俗跟中国不一样。

We have many customs in our country, which are different from that of China.

30. 我听说，B型血的人性格比较活跃，是不是真的？

I was told that people of blood type B is rather lively. Isn't that ture?

31. 我们班上课时候的气氛很活跃。

We enjoy the active atmosphere when we have classes.

32. 雨很大，亲戚朋友哩哩啦啦地直到中午还没到齐。

It rained heavily. The relatives and friends came in dribs and drabs. There were still someone who hadn't amied by twelve o'clock

自学园地

Corner for Self-study

一 给下列词语注音

Mark the following words with the right phonetic symbols.

自豪 (　　)　卧室 (　　)　英雄 (　　)　接吻 (　　)　丝毫 (　　)

俗话 (　　)　彼此 (　　)　届时 (　　)　亲戚 (　　)　属于 (　　)

二 组词

Form words and phrases.

豪：________ ________　　趁：________ ________

替：________ ________　　训：________ ________

俗：________ ________　　雄：________ ________
珍：________ ________　　届：________ ________

三 在括号内填上合适的词语

Fill in the blanks with the right words.

1. 填动词
毫不(犹豫)
毫不(　　)
毫不(　　)
毫不(　　)
毫不(　　)
毫不(　　)

2. 填名词
毫无(办法)
毫无(　　)
毫无(　　)
毫无(　　)
毫无(　　)
毫无(　　)

四 根据意思把左右两栏连起来

Match the words on the left column with the ones onthe right.

特殊的	建筑
雄伟的	县城
豪华的	矛盾
尖锐的	习俗
贫穷的	卧室

免税的	教训
珍贵的	语言
严肃的	资源
深刻的	商品
通俗的	面孔

珍惜	气氛
发生	车祸
活跃	厨师
替换	位置
培训	时间

扭转	城墙
吹捧	波浪
掀起	对方
拆除	形势
亲吻	领导

五 阅读下列句子并回答问题

Read the following sentences and answer the questions accordingly.

1. 他爷爷是这所著名大学的首届毕业生。老人生前为此感到无比地自豪。
   老人为什么觉得自豪?
2. 新来的县长正在组织人力拆除县城内大批的违章建筑物,预计三个月内完成,届时县城的面貌将会有很大的改变。
   是什么影响了这个县城的面貌。
3. 交通警察严肃地对司机说:"这条马路是单行线,车辆不得逆行,刚才你属于违章驾驶,因此这起车祸的责任完全应该由你来负。"
   这起车祸是谁的责任?为什么?
4. 中国有一些俗话,比如"凡事要趁早"、"今日事,今日毕"等,都是劝导人们要抓紧时间、珍惜时间、不要把今天的事拖到明天。
   在你的国家也有类似的俗话吗?请写出一句。
5. 刚才还听到你在外边气得大声嚷嚷,这一会儿怎么又哼着歌进来了?
   他的情绪有什么样的变化?
6. 在教练替换了两名队员以后,中国女排的姑娘们逐渐扭转了场上不利的局势,队员间互相配合,彼此鼓励,勇敢拼杀,最后终于在本届雅典奥运会上捧杯而归。
   请给新闻加一个标题,不超于10个字。
7. 下午你要去火车站送朋友,能不能顺便替我买张到上海的卧铺,要硬卧、软卧都行。
   他想请朋友帮什么忙?
8. 属相是与十二地支相配的十二种动物,用来标记人的生年,即鼠(子)、牛(丑)、虎(寅)、兔(卯)、龙(辰)、蛇(巳)、马(午)、羊(未)、猴(申)、鸡(酉)、狗(戌)、猪(亥),通称为属相也叫生肖。我属鸡,今年是我的本命年。
   在你的国家,用属相记年吗?你属什么?
9. 这个出版社最近出版了一批儿童读物,这些读物语言上力求通俗,内容广泛,包括神话故事、英雄人物、寓言等各种不同内容,图书印刷也十分精美。
   这些儿童读物有什么特点?
10. 哼,会有今天这样的结果,我丝毫也不感到奇怪,当初就不该派一个毫无经验的人来当厂长。
    为什么会产生今天这样的结果?"我"对这样的结果满意吗?
11. 中国有句俗话:"良药苦口利于病,忠言逆耳利于行。"
    你知道这句话是什么意思吗?

附录 1

《汉字拼读课本》生字拼音索引

A

啊	ā/a	（11）
哎	āi	（30）
唉	āi	（26）
挨	ái	（26）
癌	ái	（23）
岸	àn	（24）
按	àn	（7）
案	àn	（7）
暗	àn	（13）

B

熬	áo	（26）
傲	ào	（26）
奥	ào	（27）
澳	ào	（27）
巴	bā	（11）
叭	bā	（27）
拔	bá	（28）
摆（擺）	bǎi	（6）
败（敗）	bài	（25）
拜	bài	（26）
伴	bàn	（24）
扮	bàn	（24）
榜	bǎng	（17）
膀	bǎng	（17）
傍	bàng	（17）
镑（鎊）	bàng	（17）
薄	báo	（4）
保	bǎo	（12）
抱	bào	（13）
悲	bēi	（16）
碑	bēi	（18）
背	bēi/bèi	（6）
倍	bèi	（9）
辈（輩）	bèi	（16）
笨	bèn	（10）
逼	bī	（23）
彼	bǐ	（30）
毕（畢）	bì	（3）
闭（閉）	bì	（13）
辟	bì	（19）
壁	bì	（19）
避	bì	（19）
编（編）	biān	（11）
扁	biǎn	（11）
变（變）	biàn	（3）
标（標）	biāo	（10）
宾（賓）	bīn	（23）
滨（濱）	bīn	（29）
兵	bīng	（20）
饼（餅）	bǐng	（15）
并（並）	bìng	（15）
拨（撥）	bō	（28）
波	bō	（23）
玻	bō	（23）
菠	bō	（23）
脖	bó	（29）
伯	bó	（14）
博	bó	（19）
膊	bó	（19）
卜	bo/bǔ	（23）
补（補）	bǔ	（23）
捕	bǔ	（24）

C

擦	cā	（4）
材	cái	（14）
财（財）	cái	（14）
踩	cǎi	（25）
惭（慚）	cán	（29）
仓（倉）	cāng	（26）
苍（蒼）	cāng	（26）
藏	cáng/zàng	（24）
曹	cáo	（12）
册	cè	（8）
侧（側）	cè	（12）
厕（廁）	cè	（12）
测（測）	cè	（12）
策	cè	（20）
曾	céng	（10）
叉	chā	（2）
插	chā	（24）
查	chá	（2）
察	chá	（4）
拆	chāi	（30）
柴	chái	（22）

D

督 dū (27)
毒 dú (20)
独(獨) dú (28)
堵 dǔ (27)
肚 dù (14)
渡 dù (26)
端 duān (18)
段 duàn (4)
断(斷) duàn (5)
堆 duī (16)
队(隊) duì (3)
兑 duì (6)
吨(噸) dūn (24)
蹲 dūn (20)
盾 dùn (13)
顿 dùn (24)
夺(奪) duó (17)
朵 duǒ (11)
惰 duò (27)

E

俄 é (24)
恶(惡) è/wù (14)
而 ér (5)

F

发(發/髮) fā/fà (7)
乏 fá (9)
凡 fán (9)
繁 fán (15)
反 fǎn (11)
返 fǎn (28)
犯 fàn (11)
泛 fàn (22)
范(範) fàn (11)
防 fáng (22)
仿 fǎng (22)
纺(紡) fǎng (22)
废(廢) fèi (13)
肺 fèi (17)
吩 fēn (28)
纷(紛) fēn (15)
氛 fēn (28)
粉 fěn (15)
份 fèn (15)
奋(奮) fèn (17)
愤(憤) fèn (25)
丰(豐) fēng (1)
疯(瘋) fēng (21)
峰 fēng (11)
蜂 fēng (11)
逢 féng (29)
讽(諷) fěng (21)
佛 fó (25)
否 fǒu (15)
肤(膚) fū (6)
扶 fú (6)
浮 fú (28)
符 fú (22)
幅 fú (19)
福 fú (1)
府 fǔ (22)
辅(輔) fǔ (2)
腐 fǔ (22)
付 fù (22)
负(負) fù (6)
副 fù (9)
傅 fù (2)
富 fù (1)
咐 fù (28)

G

盖(蓋) gài (20)
杆 gān (14)
肝 gān (14)
赶(趕) gǎn (14)
港 gǎng (21)
膏 gāo (16)
糕 gāo (8)
搞 gǎo (6)
稿 gǎo (16)
胳 gē (19)
割 gē (16)
搁(擱) gē (19)
革 gé (26)
格 gé (12)
隔 gé (26)
根 gēn (3)
攻 gōng (11)
供 gōng/gòng (18)
宫 gōng (1)
巩(鞏) gǒng (11)
贡(貢) gòng (11)
勾 gōu (15)
构(構) gòu (15)
购(購) gòu (15)
够 gòu (3)
估 gū (1)
姑 gū (1)

古 gǔ (1)
股 gǔ (17)
骨 gǔ (17)
鼓 gǔ (15)
固 gù (13)
故 gù (1)
雇 gù (28)
挂 guà (2)
拐 guǎi (8)
官 guān (20)
管 guǎn (20)
贯(貫) guàn (22)
罐 guàn (18)
逛 guàng (14)
归(歸) guī (14)
规(規) guī (6)
鬼 guǐ (29)
跪 guì (20)
滚 gǔn (17)
锅(鍋) guō (30)
裹 guǒ (2)

H

哈 hā (4)
害 hài (12)
含 hán (20)
韩(韓) hán (27)
罕 hǎn (25)
喊 hǎn (10)
汗 hàn (25)
撼 hàn (10)
翰 hàn (27)
杭 háng (19)
毫 háo (30)
豪 háo (30)
何 hé (9)
嘿 hēi (21)
恨 hèn (24)
哼 hēng (30)
横 héng (8)
侯 hóu (21)
喉 hóu (21)
猴 hóu (21)
厚 hòu (4)
乎 hū (5)
呼 hū (5)
胡 hú (21)
壶(壺) hú (18)
糊 hú (23)
护(護) hù (4)
华(華) huá (8)
滑 huá (28)
划(劃) huà/huá (8)
怀(懷) huái (9)
环(環) huán (9)
幻 huàn (13)
荒 huāng (24)
慌 huāng (24)
皇 huáng (26)
谎(謊) huǎng (24)
恢 huī (12)
挥(揮) huī (23)
辉(輝) huī (23)
徽 huī (28)
悔 huǐ (27)
惠 huì (24)
昏 hūn (5)
婚 hūn (5)
浑(渾) hún (21)
混 hún/hùn (21)
活 huó (2)
伙(夥) huǒ (24)
获(獲) huò (26)
祸 huò (30)

J

击(擊) jī (13)
圾 jī (5)
积(積) jī (5)
基 jī (4)
激 jī (7)
及 jí (5)
吉 jí (2)
迹 jì (8)
即 jí (13)
疾 jí (23)
几(幾) jǐ/jī (7)
计(計) jì (1)
纪(紀) jì (1)
技 jì (2)
际(際) jì (10)
既 jì (8)
继(繼) jì (5)
寂 jì (27)
寄 jì (1)
夹(夾) jiā (26)
价(價) jià (6)
嫁 jià (22)
稼 jià (22)
坚(堅) jiān (14)
肩 jiān (17)
艰(艱) jiān (16)
监(監) jiān (20)
拣(揀) jiǎn (18)
捡(撿) jiǎn (23)
减 jiǎn (10)

剪	jiǎn	(25)
检(檢)	jiǎn	(2)
简(簡)	jiǎn	(3)
荐(薦)	jiàn	(26)
贱(賤)	jiàn	(10)
渐(漸)	jiàn	(23)
践(踐)	jiàn	(10)
键(鍵)	jiàn	(6)
箭	jiàn	(25)
将(將)	jiāng/jiàng	(16)
奖(獎)	jiǎng	(16)
降	jiàng	(3)
酱(醬)	jiàng	(16)
郊	jiāo	(8)
浇(澆)	jiāo	(19)
骄(驕)	jiāo	(26)
椒	jiāo	(27)
焦	jiāo	(10)
搅(攪)	jiǎo	(21)
阶(階)	jiē	(6)
节(節)	jié	(8)
洁(潔)	jié	(2)
结(結)	jiē/jié	(2)
戒	jiè	(21)
届	jiè	(30)
津	jīn	(14)
仅(僅)	jǐn	(7)
尽(盡)	jìn	(29)
劲(勁)	jìn	(28)
禁	jìn/jīn	(28)
惊(驚)	jīng	(9)
景	jǐng	(9)
警	jǐng	(12)
竞(競)	jìng	(12)
竟	jìng	(9)
敬	jìng	(12)
境	jìng	(9)
静	jìng	(1)
镜(鏡)	jìng	(9)
纠(糾)	jiū	(14)
究	jiū	(3)
久	jiǔ	(3)
救	jiù	(12)
舅	jiù	(14)
举(舉)	jǔ	(6)
巨	jù	(20)
拒	jù	(20)
俱	jù	(25)
剧(劇)	jù	(13)
据(據)	jù	(13)
距	jù	(20)
聚	jù	(21)
绢(絹)	juàn	(29)
卷	juǎn/juàn	(11)
绝(絶)	jué	(16)
君	jūn	(15)
均	jūn	(16)
菌	jūn	(23)

K

卡	kǎ/qiǎ	(6)
砍	kǎn	(18)
扛	káng	(28)
抗	kàng	(18)
拷	kǎo	(6)
烤	kǎo	(6)
靠	kào	(14)
科	kē	(3)
棵	kē	(2)
颗(顆)	kē	(2)
克	kè	(6)
客	kè	(1)
肯	kěn	(17)
恳(懇)	kěn	(18)
孔	kǒng	(27)
恐	kǒng	(2)
控	kòng	(16)
扣	kòu	(11)
枯	kū	(16)
苦	kǔ	(1)
跨	kuà	(30)
宽(寬)	kuān	(4)
款	kuǎn	(15)
狂	kuáng	(14)
愧	kuì	(29)
捆	kǔn	(24)
困	kùn	(3)
扩(擴)	kuò	(17)
括	kuò	(18)
阔(闊)	kuò	(22)

L

垃	lā	(5)
拉	lā	(5)
啦	lā/la	(5)
喇	lǎ	(27)
辣	là	(27)
赖(賴)	lài	(27)
兰(蘭)	lán	(26)
拦(攔)	lán	(26)
懒(懶)	lǎn	(27)
烂(爛)	làn	(26)
郎	láng	(19)
狼	láng	(14)

廊 láng (26)
朗 lǎng (19)
浪 làng (14)
捞(撈) lāo (24)
劳(勞) láo (12)
牢 láo (12)
姥 lǎo (11)
酪 lào (28)
类(類) lèi (25)
愣 lèng (27)
厘 lí (20)
梨 lí (2)
璃 lí (23)
李 lǐ (7)
哩 lī /li (30)
理 lǐ (20)
厉(厲) lì (14)
丽(麗) lì (15)
励(勵) lì (15)
例 lì (10)
粒 lì (5)
连(連) lián (8)
帘(簾) lián (25)
怜(憐) lián (11)
联(聯) lián (6)
恋(戀) liàn (2)
良 liáng (14)
梁(樑) liáng (22)
粮(糧) liáng (14)
亮 liàng (2)
谅(諒) liàng (12)
量 liàng (13)
了 le/liǎo (7)
列 liè (10)
劣 liè (15)
烈 liè (10)
邻(鄰) lín (10)
临(臨) lín (20)
淋 lín (7)
灵(靈) líng (18)
玲 líng (18)
铃(鈴) líng (18)
龄(齡) líng (10)
领(領) lǐng (10)
令 lìng (3)
另 lìng (8)
溜 liū (21)
流 liú (6)
柳 liǔ (27)
咙(嚨) lóng (21)
笼(籠) lóng (21)
漏 lòu (17)
露 lòu/lù (13)
陆(陸) lù (3)
律 lǜ (14)
虑(慮) lǜ (16)
率 lǜ/shuài (15)
乱(亂) luàn (8)
略 lüè (25)
轮(輪) lún (26)
论(論) lùn (1)
萝(蘿) luó (23)
洛 luò (18)
落 luò (18)

M

玛(瑪) mǎ (6)
骂(罵) mà (6)
嘛 ma (11)
埋 mái/mán (17)
迈(邁) mài (23)
麦(麥) mài (20)
脉(脈) mài (17)
馒(饅) mán (1)
瞒(瞞) mán (16)
矛 máo (13)
髦 máo (29)
貌 mào (26)
眉 méi (20)
莓 méi (21)
梅 méi (21)
煤 méi (25)
霉 méi (21)
闷(悶) mēn/mèn (20)
迷 mí (3)
谜(謎) mí (3)
秘 mì (11)
密 mì (11)
蜜 mì (11)
棉 mián (30)
免 miǎn (19)
苗 miáo (12)
描 miáo (14)
秒 miǎo (11)
妙 miào (11)
庙(廟) miào (12)
命 mìng (7)
摸 mō (22)
模 mó/mú (22)
磨 mó (18)
陌 mò (26)
莫 mò (22)
寞 mò (27)
漠 mò (22)
默 mò (17)
谋(謀) móu (25)
某 mǒu (25)
亩(畝) mǔ (10)
幕 mù (29)
慕 mù (29)

N

娜 nà (24)
耐 nài (27)
恼(惱) nǎo (12)
呐 nà (11)
嗯 ńg (11)
泥 ní (23)
逆 nì (30)
娘 niáng (1)
捏(揑) niē (27)
宁(寧) níng/nìng (26)
扭 niǔ (30)
浓(濃) nóng (15)
怒 nù (25)

P

怕 pà (1)
拍 pāi (1)
排 pái (2)
派 pài (3)
判 pàn (24)
盼 pàn (20)
乓 pāng (14)
抛 pāo (27)
炮(砲) pào (18)
袍 páo (18)
泡 pào (18)
陪 péi (9)
培 péi (9)
赔(賠) péi (9)
配 pèi (25)
喷(噴) pēn (25)
盆 pén (29)
捧 pěng (30)
碰(掽) pèng (3)
批 pī (3)
披 pī (11)
皮 pí (11)
疲 pí (11)
脾 pí (9)
偏 piān (8)
篇 piān (8)
骗(騙) piàn (8)
飘(飄) piāo (2)
拼 pīn (15)
贫(貧) pín (30)
乒 pīng (14)
评(評) píng (3)
坪 píng (29)
坡 pō (25)
泼(潑) pō (22)
婆 pó (25)
迫(廹) pò (14)
扑(撲) pū (23)
铺(鋪) pū (24)
葡 pú (24)
朴(樸) pǔ (23)
普 pǔ (9)
谱(譜) pǔ (9)

Q

戚 qī (30)
欺 qī (22)
漆 qī (21)
奇 qí (1)
棋 qí (4)
企 qǐ (29)
启(啓) qǐ (15)
弃(棄) qì (18)
器(噐) qì (5)
牵(牽) qiān (20)
签(簽) qiān (4)
浅(淺) qiǎn (4)
歉 qiàn (11)
枪(槍) qiāng (19)
强 qiǎng (13)
墙(墻) qiáng (17)
抢(搶) qiǎng (19)
悄 qiāo (27)
敲 qiāo (16)
乔(喬) qiáo (8)
侨(僑) qiáo (8)
瞧 qiáo (10)
切 qiē/qiè (22)
茄 qié (16)
且 qiě (5)
侵 qīn (18)
琴 qín (14)
晴 qíng (2)
穷(窮) qióng (17)
丘 qiū (20)
求 qiú (11)
曲 qǔ/qū (14)
渠 qú (20)
娶 qǔ (21)
趣 qù (8)
圈 quān (11)
权(權) quán (7)
劝(勸) quàn (12)
缺 quē (9)

却	què	(8)
确(確)	què	(3)
群	qún	(15)

R

燃	rán	(11)
染	rǎn	(22)
嚷	rǎng	(30)
扰(擾)	rǎo	(2)
绕(繞)	rào	(19)
惹	rě	(24)
忍	rěn	(24)
任	rèn	(5)
扔	rēng	(10)
仍	réng	(10)
荣(榮)	róng	(24)
软(軟)	ruǎn	(4)
锐(鋭)	ruì	(30)
弱	ruò	(15)

S

撒	sā	(24)
洒(灑)	sǎ	(7)
伞(傘)	sǎn	(7)
桑	sāng	(25)
嗓(嗓)	sǎng	(25)
扫(掃)	sǎo	(17)
嫂	sǎo	(9)
杀(殺)	shā	(29)
刹	shā/chà	(29)
傻	shǎ	(12)
晒(曬)	shài	(7)
闪(閃)	shǎn	(22)
善	shàn	(26)
伤(傷)	shāng	(12)
尚	shàng	(15)
捎	shāo	(29)
稍	shāo	(29)
设(設)	shè	(5)
社	shè	(8)
射	shè	(18)
摄(攝)	shè	(21)
申	shēn	(17)
伸	shēn	(17)
深	shēn	(4)
神	shén	(8)
牲	shēng	(18)
绳(繩)	shéng	(22)
省	shěng	(10)
胜(勝)	shèng	(7)
圣(聖)	shèng	(8)
剩	shèng	(7)
失	shī	(3)
诗(詩)	shī	(12)
施	shī	(18)
狮(獅)	shī	(23)
湿(濕)	shī	(7)
实(實)	shí	(1)
拾	shí	(2)
史	shǐ	(9)
驶(駛)	shǐ	(9)
式	shì	(3)
势(勢)	shì	(28)
柿	shì	(25)
释(釋)	shì	(7)
匙	shi	(22)
守	shǒu	(12)
受	shòu	(4)
售	shòu	(28)
授	shòu	(4)
叔	shū	(27)
殊	shū	(19)
输(輸)	shū	(4)
蔬	shū	(23)
熟	shú	(4)
暑	shǔ	(27)
署	shǔ	(27)
鼠	shǔ	(14)
属(屬)	shǔ	(30)
术	shù	(1)
束	shù	(13)
述	shù	(26)
竖(豎)	shù	(14)
数(數)	shǔ/shù	(6)
刷	shuā	(8)
耍	shuǎ	(27)
摔	shuāi	(15)
甩	shuǎi	(28)
爽	shuǎng	(26)
税	shuì	(30)
顺	shùn	(13)
司	sī	(3)
私	sī	(15)
撕	sī	(28)
死	sǐ	(4)
寺	sì	(12)
似	sì/shì	(22)
松(鬆)	sōng	(27)
俗	sú	(30)
肃(肅)	sù	(30)
素	sù	(20)
速	sù	(13)
塑	sù	(17)
蒜	suàn	(24)
虽(雖)	suī	(6)
碎	suì	(13)
损(損)	sǔn	(23)
缩(縮)	suō	(13)

T

它	tā	(13)
塔	tǎ	(19)
台(臺)	tái	(2)
抬	tái	(2)
态(態)	tài	(6)
贪(貪)	tān	(20)
摊(攤)	tān	(21)
滩(灘)	tān	(21)
坦	tǎn	(21)
毯	tǎn	(8)
叹(嘆)	tàn	(7)
探	tàn	(28)
汤(湯)	tāng	(6)
唐	táng	(25)
烫	tàng	(18)
趟	tàng	(19)
掏	tāo	(24)
逃	táo	(12)
桃	táo	(12)
萄	táo	(24)
讨(討)	tǎo	(1)
梯	tī	(20)
提	tí	(1)
替	tì	(30)
添	tiān	(29)
甜	tián	(16)
填	tián	(17)
挑	tiāo	(12)
跳	tiào	(12)
贴(貼)	tiē	(18)
亭	tíng	(9)
庭	tíng	(1)
停	tíng	(9)
挺	tǐng	(1)
铜(銅)	tóng	(18)
统(統)	tǒng	(10)
桶	tǒng	(23)
筒	tǒng	(18)
偷	tōu	(5)
投	tóu	(17)
透	tòu	(29)
突	tū	(11)
涂	tú	(23)
途	tú	(23)
吐	tǔ	(14)
兔	tù	(19)
团(團)	tuán	(3)
推	tuī	(16)
腿	tuǐ	(3)
退	tuì	(3)
托	tuō	(24)
拖	tuō	(18)

W

哇	wā/wa	(30)
挖	wā	(27)
亡	wáng	(5)
望	wàng	(5)
危	wēi	(4)
微	wēi	(28)
为(爲)	wéi/wèi	(7)
违(違)	wéi	(4)
惟	wéi	(27)
维(維)	wéi	(27)
伟(偉)	wěi	(4)
委	wěi	(25)
卫(衛)	wèi	(15)
未	wèi	(7)
味	wèi	(7)
谓(謂)	wèi	(14)
喂(餵)	wèi	(2)
慰	wèi	(28)
温	wēn	(7)
吻	wěn	(30)
稳(穩)	wěn	(16)
卧	wò	(30)
握	wò	(2)
污	wū	(22)
无(無)	wú	(3)
吴	wú	(7)
伍	wǔ	(12)
武	wǔ	(12)
勿	wù	(23)
误(誤)	wù	(7)
悟	wù	(27)
雾(霧)	wù	(23)

X

吸	xī	(5)
希	xī	(5)
牺(犧)	xī	(18)
悉	xī	(24)
惜	xī	(5)
稀	xī	(5)
膝	xī	(21)
席	xí	(17)
戏(戲)	xì	(13)

细(細) xì (4)
吓(嚇) xià (10)
纤(纖) xiān (29)
掀 xiān (30)
闲(閑) xián (13)
咸 xián (21)
显(顯) xiǎn (10)
险(險) xiǎn (4)
县(縣) xiàn (30)
线(綫) xiàn (10)
限 xiàn (16)
羡 xiàn (29)
献(獻) xiàn (11)
乡(鄉) xiāng (6)
厢 xiāng (5)
箱 xiāng (5)
详(詳) xiáng (26)
祥 xiáng (26)
享 xiǎng (26)
响(響) xiǎng (7)
巷 xiàng (21)
项(項) xiàng (25)
像 xiàng (7)
削 xiāo (27)
宵 xiāo (17)
消 xiāo (17)
晓(曉) xiǎo (19)
效 xiào (10)
笑 xiào (4)
歇 xiē (18)
斜 xié (21)
械 xiè (21)
辛 xīn (1)
薪 xīn (26)
形 xíng (27)
型 xíng (27)
幸 xìng (1)
性 xìng (12)
兄 xiōng (2)
胸 xiōng (29)
雄 xióng (30)
熊 xióng (29)
修 xiū (20)
秀 xiù (29)
袖 xiù (30)
虚 xū (16)
许(許) xǔ (1)
序 xù (22)
绪(緒) xù (22)
续(續) xù (5)
酗 xù (28)
宣 xuān (26)
选(選) xuǎn (7)
寻(尋) xún (18)
训(訓) xùn (30)
讯(訊) xùn (16)
迅 xùn (16)

Y

压(壓) yā (13)
呀 ya (21)
芽 yá (21)
亚(亞) yà (9)
咽 yān/yàn (23)
烟(煙) yān (8)
严(嚴) yán (14)
沿 yán (17)
研 yán (3)
盐(鹽) yán (29)
厌(厭) yàn (13)
宴 yàn (1)
艳(艷) yàn (21)
验(驗) yàn (4)
央 yāng (24)
扬(揚) yáng (2)
洋 yáng (3)
仰 yǎng (18)
养(養) yǎng (3)
腰 yāo (14)
邀 yāo (7)
摇 yáo (16)
遥 yáo (16)
咬 yǎo (5)
药(藥) yào (3)
野 yě (5)
叶(葉) yè (17)
夜 yè (2)
液 yè (16)
依 yī (14)
仪(儀) yí (6)
姨 yí (1)
移 yí (13)
遗(遺) yí (10)
疑 yí (15)
义(義) yì (2)
亿(億) yì (1)
忆(憶) yì (1)
艺(藝) yì (1)
议(議) yì (6)
异 yì (10)
益 yì (20)
姻 yīn (23)
引 yǐn (8)
隐(隱) yǐn (16)
印 yìn (26)
婴(嬰) yīng (28)
樱(櫻) yīng (28)
营(營) yíng (8)
赢 yíng (4)
映 yìng (24)
硬 yìng (4)
哟(喲) yō (3)
拥(擁) yǒng (23)

汉字	拼音	课
永	yǒng	(2)
勇	yǒng	(28)
优(優)	yōu	(15)
悠	yōu	(20)
尤	yóu	(3)
由	yóu	(9)
犹(猶)	yóu	(27)
油	yóu	(16)
幼	yòu	(13)
于(於)	yú	(9)
余(餘)	yú	(21)
渔(漁)	yú	(21)
愚	yú	(11)
愉	yú	(7)
予	yǔ	(13)
与(與)	yǔ	(3)
育	yù	(6)
喻	yù	(26)
豫	yù	(27)
援	yuán	(25)
缘(緣)	yuán	(22)
源	yuán	(14)
怨	yuàn	(24)
约(約)	yuē	(3)
钥(鑰)	yào	(22)
悦	yuè	(23)
跃(躍)	yuè	(30)
允	yǔn	(14)
运(運)	yùn	(1)

Z

汉字	拼音	课
咱	zán	(2)
攒(攢)	zǎn	(29)
暂(暫)	zàn	(29)
赞(贊)	zàn	(29)
遭	zāo	(12)
糟	zāo	(8)
造	zào	(8)
噪	zào	(10)
燥	zào	(10)
躁	zào	(10)
则(則)	zé	(12)
择(擇)	zé	(7)
责(責)	zé	(6)
增	zēng	(10)
扎	zhā	(27)
诈(詐)	zhà	(29)
炸	zhà/zhá	(29)
摘	zhāi	(17)
宅	zhái	(13)
窄	zhǎi	(4)
债(債)	zhài	(6)
粘	zhān	(15)
占	zhàn	(13)
战(戰)	zhàn	(13)
章	zhāng	(6)
涨(漲)	zhǎng	(24)
掌	zhǎng	(7)
丈	zhàng	(9)
招	zhāo	(9)
召	zhào	(9)
兆	zhào	(12)
折	zhé	(20)
哲	zhé	(20)
针(針)	zhēn	(22)
珍	zhēn	(30)
诊(診)	zhěn	(30)
阵(陣)	zhèn	(19)
镇(鎮)	zhèn	(28)
争	zhēng	(6)
征	zhēng	(23)
挣	zhèng	(10)
睁	zhēng	(10)
筝	zhēng	(10)
整	zhěng	(2)
证	zhèng	(2)
政	zhèng	(2)
症	zhèng	(23)
之	zhī	(9)
汁	zhī	(17)
织(織)	zhī	(5)
执(執)	zhí	(23)
值	zhí	(20)
植	zhí	(20)
指	zhǐ	(6)
制	zhì	(8)
治	zhì	(2)
质(質)	zhì	(13)
秩	zhì	(25)
致	zhì	(20)
置	zhì	(20)
终(終)	zhōng	(10)
种(種)	zhǒng	(7)
洲	zhōu	(9)
皱(皺)	zhòu	(29)
朱	zhū	(19)
株	zhū	(19)
珠	zhū	(19)
逐	zhú	(23)
主	zhǔ	(1)
煮	zhǔ	(24)
著	zhù	(24)
筑(築)	zhù	(19)
抓	zhuā	(7)
转(轉)	zhuǎn/zhuàn	(9)
庄(莊)	zhuāng	(22)
装(裝)	zhuāng	(13)
壮(壯)	zhuàng	(13)
状(狀)	zhuàng	(13)
撞	zhuàng	(18)
追	zhuī	(8)
捉	zhuō	(21)

附录 2

《汉字拼读课本》词语拼音索引

A

B

补习	bǔxí	(23)
补充	bǔchōng	(23)
补课	bǔ kè	(23)
不得了	bùdéliǎo	(7)
不管	bùguǎn	(20)
不仅	bùjǐn	(7)
不禁	bùjīn	(28)
不久	bùjiǔ	(3)
不免	bùmiǎn	(19)
不停	bùtíng	(9)
不许	bùxǔ	(1)
布置	bùzhì	(20)

C

擦桌子	cā zhuōzi	(4)
材料	cáiliào	(14)
财产	cáichǎn	(14)
踩坏	cǎihuài	(25)
菜谱	càipǔ	(9)
参谋	cānmóu	(25)
残疾	cánjí	(23)
惭愧	cánkuì	(29)
仓促	cāngcù	(26)
仓库	cāngkù	(26)
苍白	cāngbái	(26)
苍蝇	cāngyíng	(26)
草稿	cǎogǎo	(16)
草莓	cǎoméi	(21)
草坪	cǎopíng	(29)
侧面	cèmiàn	(12)
厕所	cèsuǒ	(12)
测验	cèyàn	(12)
策划	cèhuà	(20)
策略	cèlüè	(25)
曾经	céngjīng	(10)
叉子	chāzi	(2)
插头	chātóu	(24)
插图	chātú	(24)
插座	chāzuò	(24)
茶壶	cháhú	(18)
茶几	chájī	(7)
茶叶	cháyè	(17)
拆除	chāichú	(30)
产量	chǎnliàng	(2)
产品	chǎnpǐn	(2)
产生	chǎnshēng	(2)
尝试	chángshì	(25)
尝一尝	cháng yi cháng	(25)
抄写	chāoxiě	(17)
超过	chāoguò	(25)
超重	chāozhòng	(25)
朝代	cháodài	(25)
朝鲜	Cháoxiǎn	(25)
潮流	cháoliú	(25)
潮湿	cháoshī	(25)
吵架	chǎo jià	(17)
炒菜	chǎo cài	(25)
炒鱿鱼	chǎo yóuyú	(25)
车祸	chēhuò	(30)
车厢	chēxiāng	(5)
彻底	chèdǐ	(22)
沉闷	chénmèn	(20)
沉默	chénmò	(17)
沉重	chénzhòng	(17)
陈旧	chénjiù	(19)
趁机	chènjī	(30)
趁早	chènzǎo	(30)
称呼	chēnghū	(16)
称赞	chēngzàn	(29)
成为	chéngwéi	(7)
承认	chéngrèn	(26)
诚恳	chéngkěn	(18)
诚实	chéngshí	(8)
城墙	chéngqiáng	(17)
乘客	chéngkè	(7)
吃醋	chī cù	(19)
吃惊	chī jīng	(9)
吃素	chī sù	(20)
迟到	chídào	(4)
尺寸	chǐcùn	(4)
尺子	chǐzi	(4)
翅膀	chìbǎng	(25)
充分	chōngfèn	(10)
充满	chōngmǎn	(10)
充足	chōngzú	(10)
冲浪	chōnglàng	(19)
冲洗	chōngxǐ	(19)
崇拜	chóngbài	(29)
崇高	chónggāo	(29)
重叠	chóngdié	(26)
重新	chóngxīn	(7)
重复	chóngfù	(7)
抽象	chōuxiàng	(8)
抽烟	chōu yān	(8)
出嫁	chūjià	(22)
出售	chūshòu	(28)
出席	chūxí	(17)
除了	chúle	(3)
厨房	chúfáng	(29)
厨师	chúshī	(29)
橱柜	chúguì	(29)
处理	chǔlǐ	(20)
传播	chuánbō	(9)
传染	chuánrǎn	(22)
传说	chuánshuō	(9)
喘气	chuǎn qì	(18)
窗帘	chuānglián	(25)
闯红灯	chuǎng hóngdēng	(22)
创造	chuàngzào	(8)
创作	chuàngzuò	(8)
吹捧	chuīpěng	(30)

词语	拼音	课
春节	Chūn Jié	(8)
瓷器	cíqì	(28)
雌性	cíxìng	(30)
刺激	cìjī	(20)
匆忙	cōngmáng	(11)
聪明	cōngmíng	(5)
粗心	cūxīn	(4)
促进	cùjìn	(21)
催促	cuīcù	(18)
村庄	cūnzhuāng	(22)
存款	cúnkuǎn	(15)
存在	cúnzài	(15)
措施	cuòshī	(19)
错误	cuòwù	(7)

D

词语	拼音	课
搭车	dā chē	(19)
答应	dáying	(7)
达到	dádào	(4)
答案	dá'àn	(7)
答卷	dájuàn	(11)
打扮	dǎbàn	(24)
打工仔	dǎgōngzǎi	(22)
打哈欠	dǎ hāqiàn	(4)
打搅	dǎjiǎo	(21)
打捞	dǎlāo	(24)
打扰	dǎrǎo	(2)
打扫	dǎsǎo	(17)
打碎	dǎsuì	(13)
打招呼	dǎ zhāohu	(9)
打折	dǎ zhé	(20)
打针	dǎ zhēn	(22)
大胆	dàdǎn	(9)
大款	dàkuǎn	(15)
大量	dàliàng	(13)
大陆	dàlù	(3)
大批	dàpī	(3)
大蒜	dàsuàn	(24)
大腿	dàtuǐ	(3)
大型	dàxíng	(27)
大约	dàyuē	(3)
代表	dàibiǎo	(15)
代表团	dàibiǎotuán	(3)
代替	dàitì	(30)
单独	dāndú	(28)
担任	dānrèn	(9)
担心	dān xīn	(9)
胆小	dǎnxiǎo	(9)
诞辰	dànchén	(19)
蛋糕	dàngāo	(8)
当……的时候	dāng…de shíhou	(13)
当兵	dāng bīng	(20)
当地	dāngdì	(13)
当年	dāngnián	(13)
当然	dāngrán	(13)
当时	dāngshí	(13)
挡住	dǎngzhù	(13)
导游	dǎoyóu	(10)
导致	dǎozhì	(20)
倒闭	dǎobì	(13)
倒霉	dǎoméi	(21)
倒下	dǎoxià	(6)
倒茶	dào chá	(6)
到达	dàodá	(4)
到底	dàodǐ	(1)
盗版	dàobǎn	(29)
道德	dàodé	(28)
稻田	dàotián	(29)
德国	Déguó	(28)
德语	Déyǔ	(28)
灯笼	dēnglong	(21)
登记	dēngjì	(16)
登陆	dēnglù	(16)
登录	dēnglù	(16)
登山	dēng shān	(16)
等待	děngdài	(28)
等于	děngyú	(9)
凳子	dèngzi	(16)
低声	dīshēng	(1)
的确	díquè	(7)
敌人	dírén	(6)
底下	dǐxià	(1)
地毯	dìtǎn	(8)
递给	dìgěi	(20)
第一课	dì yī kè	
典型	diǎnxíng	(27)
电波	diànbō	(23)
电话铃	diànhuàlíng	(18)
电器	diànqì	(5)
电视台	diànshìtái	(2)
电台	diàntái	(2)
电梯	diàntī	(20)
钓鱼	diào yú	(22)
调查	diàochá	(6)
掉眼泪	diào yǎnlèi	(8)
跌倒	diēdǎo	(20)
钉子	dīngzi	(16)
丢脸	diū liǎn	(3)
丢失	diūshī	(3)
董事长	dǒngshìzhǎng	(6)
斗争	dòuzhēng	(15)
豆腐	dòufu	(22)
逗留	dòuliú	(13)
毒品	dúpǐn	(20)
独立	dúlì	(28)
堵车	dǔ chē	(27)
肚子	dùzi	(14)
渡河	dù hé	(26)
端午节	Duānwǔ Jié	(18)
短暂	duǎnzàn	(29)

堆积 duījī (16)
堆雪人 duī xuěrén (16)
队长 duìzhǎng (3)
队伍 duìwǔ (12)
队员 duìyuán (3)
对待 duìdài (28)
对付 duìfu (22)
对于 duìyú (9)
兑换 duìhuàn (6)
夺取 duóqǔ (17)

E

俄罗斯 Éluósī (24)
俄语 Éyǔ (24)
而且 érqiě (5)

F

发财 fā cái (14)
发愁 fā chóu (28)
发呆 fā dāi (28)
发抖 fā dǒu (15)
发挥 fāhuī (23)
发愣 fā lèng (27)
发霉 fā méi (21)
发射 fāshè (18)
发芽 fā yá (21)
凡是 fánshì (9)
烦恼 fánnǎo (12)
繁华 fánhuá (15)
繁荣 fánróng (15)
反对 fǎnduì (11)
反而 fǎn'ér (5)
反复 fǎnfù (11)
反抗 fǎnkàng (18)
反应 fǎnyìng (7)
反映 fǎnyìng (24)
反正 fǎnzhèng (11)
犯错误 fàn cuòwù (11)
范围 fànwéi (11)
方案 fāng'àn (7)
方式 fāngshì (3)
方针 fāngzhēn (22)
防盗门 fángdào mén (29)
防止 fángzhǐ (22)
纺织 fǎngzhī (22)
放弃 fàngqì (18)
肥胖症 féipàngzhèng (23)
废话 fèihuà (13)
废品 fèipǐn (13)
肺炎 fèiyán (17)
费劲 fèi jìn (28)
分割 fēngē (16)
吩咐 fēnfù (28)
纷纷 fēnfēn (15)
粉笔 fěnbǐ (15)
粉红色 fěnhóngsè (15)
奋斗 fèndòu (17)
愤怒 fènnù (25)
丰富 fēngfù (1)
风景 fēngjǐng (9)
风筝 fēngzhēng (10)
疯牛病 fēngniúbìng (21)
疯子 fēngzi (21)
峰会 fēnghuì (11)
蜂 fēng (11)
讽刺 fěngcì (21)
佛教 Fójiào (25)
否定 fǒudìng (15)
否则 fǒuzé (15)
扶手 fúshǒu (6)
服装 fúzhuāng (13)
浮动 fúdòng (28)
符合 fúhé (22)
幅度 fúdù (19)
辅导 fǔdǎo (2)
负责 fùzé (6)
复述 fùshù (26)
复印 fùyìn (26)
副食 fùshí (9)
富有 fùyǒu (1)

G

改编 gǎibiān (11)
改变 gǎibiàn (3)
改革 gǎigé (26)
改善 gǎishàn (26)
改造 gǎizào (8)
盖子 gàizi (20)
干脆 gāncuì (22)
干燥 gānzào (10)
肝癌 gān'ái (23)
肝炎 gānyán (14)
赶快 gǎnkuài (14)
赶上 gǎnshàng (14)

H

胡说八道 húshuō bādào (21)
胡同儿 hútòngr (21)
胡子 húzi (21)
糊涂 hútu (23)
互联网 hùliánwǎng (6)
护照 hùzhào (4)
花丛 huācóng (24)
花朵 huāduǒ (11)
花盆 huāpén (29)
华侨 huáqiáo (8)
滑冰 huá bīng (28)
滑坡 huápō (28)
滑雪 huá xuě (28)
划船 huá chuán (8)
画像 huàxiàng (7)
话剧 huàjù (13)
话筒 huàtǒng (18)
怀念 huáiniàn (9)
怀疑 huáiyí (15)
环岛 huándǎo (24)
环境 huánjìng (9)
幻想 huànxiǎng (13)
荒凉 huāngliáng (24)
皇帝 huángdì (26)
黄油 huángyóu (16)
谎言 huǎngyán (24)
恢复 huīfù (12)
回忆 huíyì (1)
会议 huìyì (6)
昏迷 hūnmí (5)
婚姻 hūnyīn (23)
浑身 húnshēn (21)
混乱 hùnluàn (21)
活动 huódòng (2)
活泼 huópo (22)
活跃 huóyuè (30)
火柴 huǒchái (22)
火锅 huǒguō (30)
火箭 huǒjiàn (25)
伙伴 huǒbàn (24)
获得 huòdé (26)
获悉 huòxī (24)

J

机器 jīqì (5)
机械 jīxiè (21)
鸡丁 jīdīng (16)
积极 jījí (5)
基本 jīběn (4)
基础 jīchǔ (4)
基督教 Jīdūjiào (27)
激动 jīdòng (7)
激光 jīguāng (7)
激烈 jīliè (10)
几乎 jīhū (5)
及格 jígé (12)
及时 jíshí (5)
吉利 jílì (2)
吉祥 jíxiáng (26)
即使 jíshǐ (13)
急性子 jí xìngzi (12)
急躁 jízào (10)
急诊 jízhěn (30)
疾病 jíbìng (23)
给予 jǐyǔ (13)
计划 jìhuà (1)
计算 jìsuàn (1)
记忆力 jìyìlì (1)
记忆犹新 jìyì yóuxīn (27)
纪律 jìlǜ (14)
技术 jìshù (2)
季节 jìjié (8)
既……也 jì…yě (8)
既……又 jì…yòu (8)
既然 jìrán (8)
继承 jìchéng (26)
继续 jìxù (5)
寂静 jìjìng (27)
寂寞 jìmò (27)
寄信 jì xìn (1)
加倍 jiābèi (9)
加强 jiāqiáng (13)
家庭 jiātíng (1)
家乡 jiāxiāng (6)
假装 jiǎzhuāng (13)
价格 jiàgé (12)
价钱 jiàqián (6)
价值 jiàzhí (20)
驾驶 jiàshǐ (9)
驾驶员 jiàshǐyuán (9)
嫁接 jiàjiē (22)
尖锐 jiānruì (30)
坚持 jiānchí (14)
坚决 jiānjué (14)
坚强 jiānqiáng (14)
肩膀 jiānbǎng (17)
艰巨 jiānjù (20)
艰苦 jiānkǔ (16)
监督 jiāndū (27)
监狱 jiānyù (20)
减肥 jiǎnféi (10)
减轻 jiǎnqīng (10)
减少 jiǎnshǎo (10)
剪刀 jiǎndāo (25)
剪纸 jiǎnzhǐ (25)
检查 jiǎnchá (2)
检讨 jiǎntǎo (2)
简单 jiǎndān (3)
简朴 jiǎnpǔ (23)
见鬼 jiànguǐ (29)

建设	jiànshè	（5）
建议	jiànyì	（6）
建筑	jiànzhù	（19）
贱卖	jiànmài	（10）
键盘	jiànpán	（6）
江岸	jiāng'àn	（24）
将来	jiānglái	（16）
将要	jiāngyào	（16）
讲述	jiǎngshù	（26）
奖学金	jiǎngxuéjīn	（16）
降低	jiàngdī	（3）
降落	jiàngluò	（18）
酱油	jiàngyóu	（16）
交际	jiāojì	（10）
交流	jiāoliú	（6）
郊区	jiāoqū	（8）
浇花	jiāo huā	（19）
骄傲	jiāo'ào	（26）
骄人	jiāorén	（26）
胶卷	jiāojuǎn	（11）
焦急	jiāojí	（10）
叫喊	jiàohǎn	（10）
教材	jiàocái	（14）
教授	jiàoshòu	（4）
教训	jiàoxùn	（30）
教育	jiàoyù	（6）
阶段	jiēduàn	（6）
接触	jiēchù	（28）
接待	jiēdài	（28）
接受	jiēshòu	（4）
街头巷尾	jiētóu xiàngwěi	（21）
节目	jiémù	（8）
节日	jiérì	（8）
节省	jiéshěng	（10）
节约	jiéyuē	（8）
洁白	jiébái	（2）
结构	jiégòu	（15）
结果	jiéguǒ	（2）
结婚	jié hūn	（5）
结束	jiéshù	（2）
解雇	jiěgù	（28）
解释	jiěshì	（7）
戒烟	jiè yān	（21）
戒指	jièzhi	（21）
届时	jièshí	（30）
借债	jiè zhài	（6）
紧挨	jǐn āi	（26）
尽可能	jǐnkěnéng	（29）
尽力	jìnlì	（29）
进攻	jìngōng	（11）
进修	jìnxiū	（20）
禁止	jìnzhǐ	（28）
京剧	jīngjù	（13）
经验	jīngyàn	（4）
惊慌	jīnghuāng	（24）
精神	jīngshén	（8）
警察	jǐngchá	（12）
竞赛	jìngsài	（12）
竞争	jìngzhēng	（12）
竟然	jìngrán	（9）
敬爱	jìng'ài	（12）
纠正	jiūzhèng	（14）
究竟	jiūjìng	（9）
酒鬼	jiǔguǐ	（29）
救命	jiù mìng	（12）
救人	jiù rén	（12）
舅舅	jiùjiu	（1）
举办	jǔbàn	（6）
举例	jǔ lì	（10）
举行	jǔxíng	（6）
巨大	jùdà	（20）
拒绝	jùjué	（20）
俱乐部	jùlèbù	（25）
剧场	jùchǎng	（13）
据说	jùshuō	（13）
距离	jùlí	（20）
聚会	jùhuì	（21）
聚集	jùjí	（21）
聚焦	jùjiāo	（21）
卷起来	juǎn qǐlai	（11）
绝对	juéduì	（16）
觉悟	juéwù	（27）
君主制	jūnzhǔzhì	（15）

K

卡车	kǎchē	（6）
卡拉 OK	kǎlā'ōukèi	（6）
开端	kāiduān	（18）
开朗	kāilǎng	（19）
开幕	kāimù	（29）
开玩笑	kāi wánxiào	（4）
开药	kāi yào	（3）
砍价	kǎn jià	（18）
抗议	kàngyì	（18）
考察	kǎochá	（4）
考虑	kǎolǜ	（16）
拷贝	kǎobèi	（6）
烤鸭	kǎoyā	（6）
科学	kēxué	（3）
可恶	kěwù	（14）
可恨	kěhèn	（24）
可靠	kěkào	（14）
可怜	kělián	（11）
可能性	kěnéngxìng	（12）
可怕	kěpà	（1）
可惜	kěxī	（5）
克服	kèfú	（6）
刻苦	kèkǔ	（1）
客气	kèqi	（1）
客人	kèrén	（1）
客厅	kètīng	（1）
肯定	kěndìng	（17）

恳求 kěnqiú (18)
孔子 Kǒngzǐ (27)
恐怖 kǒngbù (2)
恐怕 kǒngpà (2)
空闲 kòngxián (13)
控制 kòngzhì (16)
口袋 kǒudài (15)
扣子 kòuzi (11)
枯燥 kūzào (16)
跨国公司 kuàguó gōngsī (30)
快递 kuàidì (20)
宽大 kuāndà (4)
宽带 kuāndài (4)
宽阔 kuānkuò (22)
宽松 kuānsōng (27)
狂欢节 Kuánghuān Jié (14)
困难 kùnnán (3)
扩大 kuòdà (17)
括号 kuòhào (18)

L

垃圾 lājī (5)
垃圾箱 lājīxiāng (5)
拉开 lākāi (5)
拉拉队 lālāduì (5)
喇叭 lǎba (27)
辣酱 làjiàng (27)
辣椒 làjiāo (27)
来宾 láibīn (23)
来不及 láibují (5)
来得及 láidejí (5)
拦住 lánzhù (26)
懒得 lǎnde (27)
懒惰 lǎnduò (27)
狼狗 lánggǒu (14)
朗读 lǎngdú (19)
浪费 làngfèi (14)
劳动 láodòng (12)
牢记 láojì (12)
牢骚 láosāo (12)
老伴 lǎobàn (24)
老鼠 lǎoshǔ (14)
姥姥 lǎolao (11)
姥爷 lǎoye (11)
累死了 lèisǐ le (4)
冷藏 lěngcáng (24)
冷淡 lěngdàn (15)
冷冻 lěngdòng (18)
厘米 límǐ (20)
梨树 líshù (2)
离婚 lí hūn (5)
礼拜 lǐbài (26)
礼貌 lǐmào (26)
李子 lǐzi (7)
哩哩啦啦 līli-lālā (30)
理发 lǐ fà (20)
理解 lǐjiě (20)
理论 lǐlùn (20)
理想 lǐxiǎng (20)
理由 lǐyóu (20)
力量 lìliàng (13)
历史 lìshǐ (9)
厉害 lìhai (14)
立即 lìjí (13)
利益 lìyì (20)
例如 lìrú (10)
连……都(也) lián…dōu(yě) (8)
连忙 liánmáng (8)
连续 liánxù (8)
联合 liánhé (6)
联欢 liánhuān (6)
联系 liánxì (6)
恋爱 liàn'ài (2)
良好 liánghǎo (14)
凉爽 liángshuǎng (26)
粮食 liángshi (14)
两侧 liǎngcè (12)
了不起 liǎobuqǐ (7)
列车 lièchē (10)
劣质 lièzhì (15)
邻居 línjū (10)
临时 línshí (20)
灵活 línghuó (18)
领带 lǐngdài (10)
领导 lǐngdǎo (10)
领袖 lǐngxiù (30)
另外 lìngwài (8)
溜冰场 liūbīngchǎng (21)
流利 liúlì (6)
流行 liúxíng (6)
柳树 liǔshù (27)
楼梯 lóutī (20)
漏气 lòu qì (17)
露面 lòu miàn (13)
露天 lùtiān (13)
陆地 lùdì (3)
路线 lùxiàn (10)
旅途 lǚtú (23)
旅行社 lǚxíngshè (8)
律师 lǜshī (14)
乱七八糟 luànqī bāzāo (8)
乱糟糟 luànzāozāo (8)
略微 lüèwēi (28)
轮船 lúnchuán (26)
轮到 lúndào (26)
轮流 lúnliú (26)
论文 lùnwén (1)
萝卜 luóbo (23)

洛阳 Luòyáng (18)
落后 luòhòu (8)

M

麻婆豆腐 mápó dòufu (25)
玛丽 Mǎlì (6)
骂人 mà rén (6)
嘛 ma (11)
埋头 máitóu (17)
麦克风 màikèfēng (20)
馒头 mántou (1)
埋怨 mányuàn (24)
矛盾 máodùn (13)
冒险 mào xiǎn (4)
眉毛 méimao (20)
梅花 méihuā (21)
煤气 méiqì (25)
每逢 měiféng (29)
美丽 měilì (15)
美妙 měimiào (11)
闷热 mēnrè (20)
门铃 ménlíng (18)
闷闷不乐 mènmèn bú lè (20)
迷路 mí lù (3)
谜语 míyǔ (3)
秘密 mìmì (11)
秘书 mìshū (11)
密码 mìmǎ (11)
密切 mìqiè (11)
蜜蜂 mìfēng (11)
蜜月 mìyuè (11)
棉花 miánhuā (30)
免得 miǎnde (19)
免费 miǎnfèi (19)
免税 miǎnshuì (30)
面积 miànjī (5)
面孔 miànkǒng (27)
面貌 miànmào (26)
苗条 miáotiao (12)
描写 miáoxiě (14)
庙会 miàohuì (12)
名胜 míngshèng (7)
名胜古迹 míngshèng gǔjì (8)
命令 mìnglìng (3)
命运 mìngyùn (7)
摸鱼 mō yú (22)
模仿 mófǎng (22)
模糊 móhu (23)
模特儿 mótèr (22)
模样 móyàng (22)
磨蹭 móceng (18)
陌生 mòshēng (4)
莫名其妙 mò míng qí miào (22)
墨镜 mòjìng (9)
默读 mòdú (17)
默默 mòmò (17)
谋取 móuqǔ (25)
谋杀 móushā (29)
某个 mǒugè (25)
某些 mǒuxiē (25)
目标 mùbiāo (10)
目的 mùdì (7)

N

纳税 nàshuì (30)
奶酪 nǎilào (28)
耐烦 nàifán (27)
耐心 nàixīn (27)
耐用 nàiyòng (27)
脑袋 nǎodài (15)
能够 nénggòu (3)
能源 néngyuán (14)
泥土 nítǔ (23)
逆耳 nì'ěr (30)
逆行 nìxíng (30)
年代 niándài (15)
年纪 niánjì (1)
年龄 niánlíng (10)
年迈 niánmài (23)
捏造 niēzào (27)
宁静 níngjìng (26)
宁可 nìngkě (26)
牛仔裤 niúzǎikù (22)
扭转 niǔzhuǎn (30)
农村 nóngcūn (4)
浓茶 nóng chá (15)

P

拍照 pāi zhào (1)
排球 páiqiú (2)
排行榜 páihángbǎng (17)
派出所 pàichūsuǒ (3)
派对 pàiduì (3)

判断	pànduàn	(24)
盼望	pànwàng	(20)
抛弃	pāoqì	(27)
泡吧	pào bā	(18)
泡影	pàoyǐng	(18)
陪同	péitóng	(9)
培训	péixùn	(30)
培养	péiyǎng	(9)
赔偿	péicháng	(25)
赔钱	péi qián	(9)
配合	pèihé	(25)
喷泉	pēnquán	(25)
捧杯	pěngbēi	(30)
碰见	pèngjiàn	(3)
批判	pīpàn	(24)
批评	pīpíng	(3)
批准	pīzhǔn	(3)
披露	pīlù	(11)
皮肤	pífū	(6)
疲劳	píláo	(11)
啤酒肚	píjiǔdù	(14)
脾气	píqì	(9)
偏见	piānjiàn	(8)
飘扬	piāoyáng	(2)
拼命	pīn mìng	(15)
拼音	pīnyīn	(15)
贫穷	pínqióng	(17)
乒乓球	pīngpāngqiú	(14)
平均	píngjūn	(16)
婆婆	pópo	(25)
婆婆妈妈	pópomāmā	(25)
迫切	pòqiè	(14)
破烂	pòlàn	(26)
扑克	pūkè	(23)
扑灭	pūmiè	(23)
铺地毯	pū dìtǎn	(24)
葡萄	pútao	(24)
葡萄酒	pútaojiǔ	(24)
朴素	pǔsù	(23)
普遍	pǔbiàn	(9)
普通	pǔtōng	(9)

Q

欺骗	qīpiàn	(22)
其实	qíshí	(1)
其余	qíyú	(21)
奇怪	qíguài	(1)
旗杆	qígān	(14)
旗袍	qípáo	(18)
企图	qǐtú	(29)
企业	qǐyè	(29)
启动	qǐdòng	(15)
启发	qǐfā	(15)
气氛	qìfēn	(28)
气愤	qìfèn	(25)
气温	qìwēn	(7)
汽油	qìyóu	(16)
卡子	qiǎzi	(6)
牵挂	qiānguà	(20)
签订	qiāndìng	(16)
签证	qiānzhèng	(2)
签字	qiānzì	(4)
前途	qiántú	(23)
浅色	qiǎnsè	(4)
强大	qiángdà	(13)
强调	qiángdiào	(13)
强项	qiángxiàng	(25)
强壮	qiángzhuàng	(13)
墙壁	qiángbì	(19)
墙纸	qiángzhǐ	(17)
抢劫	qiǎngjié	(19)
抢救	qiǎngjiù	(19)
抢滩	qiǎngtān	(21)
悄悄	qiāoqiāo	(27)
敲门	qiāo mén	(16)
乔木	qiáomù	(8)
桥梁	qiáoliáng	(22)
巧克力	qiǎokèlì	(6)
巧妙	qiǎomiào	(11)
亲戚	qīnqi	(30)
亲吻	qīnwěn	(30)
侵犯	qīnfàn	(18)
轻松	qīngsōng	(27)
情景	qíngjǐng	(9)
情形	qíngxíng	(27)
情绪	qíngxù	(22)
晴天	qíngtiān	(2)
请求	qǐngqiú	(11)
请勿打扰	qǐngwù dǎrǎo	(23)
穷人	qióngrén	(17)
球迷	qiúmí	(3)
趋势	qūshì	(28)
取消	qǔxiāo	(17)
权力	quánlì	(7)
权利	quánlì	(7)
拳击	quánjī	(13)
劝告	quàngào	(12)
缺点	quēdiǎn	(9)
缺乏	quēfá	(9)
缺少	quēshǎo	(9)
确实	quèshí	(3)
群众	qúnzhòng	(15)

R

然而	rán'ér	(5)
燃烧	ránshāo	(11)
嚷嚷	rāngrang	(30)
惹麻烦	rě máfan	(24)
热烈	rèliè	(10)
热线	rèxiàn	(10)

人类 rénlèi (25)
人行横道 rénxíng héngdào (8)
忍不住 rěnbuzhù (24)
忍受 rěnshòu (24)
认为 rènwéi (7)
任何 rènhé (5)
任务 rènwù (5)
扔垃圾 rēng lājī (10)
仍然 réngrán (10)
日益 rìyì (20)
荣幸 róngxìng (24)
如何 rúhé (9)
软件 ruǎnjiàn (4)
软弱 ruǎnruò (15)

S

撒谎 sā huǎng (24)
洒水 sǎ shuǐ (7)
三轮车 sānlúnchē (26)
桑拿 sāngná (25)
嗓子 sǎngzi (25)
嫂子 sǎozi (9)
色狼 sèláng (14)
色素 sèsù (20)
杀毒 shādú (29)
沙漠 shāmò (22)
沙丘 shāqiū (20)
刹车 shāchē (29)
傻瓜 shǎguā (12)
晒衣服 shài yīfu (7)
山顶 shāndǐng (16)
山洞 shāndòng (18)
山峰 shānfēng (11)
山脉 shānmài (17)
山坡 shānpō (25)
闪开 shǎnkāi (22)
善良 shànliáng (26)
善于 shànyú (26)
伤心 shāngxīn (12)
上帝 shàngdì (26)
捎东西 shāo dōngxi (29)
捎信 shāo xìn (29)
稍微 shāowēi (29)
设计 shèjì (5)
社会 shèhuì (8)
社区 shèqū (8)
射箭 shè jiàn (25)
射门 shè mén (18)
摄像机 shèxiàngjī (21)
摄影 shèyǐng (21)
申奥 Shēn Ào (27)
申请 shēnqǐng (17)
伸 shēn (17)
伸手 shēn shǒu (17)
身份证 shēnfènzhèng (2)
深厚 shēnhòu (4)
深入 shēnrù (4)
深夜 shēnyè (4)
生产 shēngchǎn (2)
生活 shēnghuó (2)
生命 shēngmìng (4)
生物 shēngwù (4)
生长 shēngzhǎng (4)
声调 shēngdiào (6)
绳子 shéngzi (22)
省略 shěnglüè (25)
胜利 shènglì (7)
圣诞节 Shèngdàn Jié (8)
圣经 Shèngjīng (8)
剩下 shèngxià (7)
失败 shībài (25)
失去 shīqù (3)
失望 shīwàng (5)
失业 shī yè (3)
师傅 shīfu (2)
诗歌 shīgē (12)
诗人 shīrén (12)
施工 shīgōng (18)
狮子 shīzi (23)
湿度 shīdù (7)
石碑 shíbēi (18)
石油 shíyóu (16)
时代 shídài (15)
时髦 shímáo (29)
时尚 shíshàng (15)
时装秀 shízhuāngxiù (29)
实际 shíjì (10)
实践 shíjiàn (10)
实施 shíshī (18)
实现 shíxiàn (1)
实验 shíyàn (4)
食盐 shíyán (29)
使劲 shǐ jìn (28)
始终 shǐzhōng (10)
事实 shìshí (1)
试卷 shìjuàn (11)
试验 shìyàn (4)
是否 shìfǒu (15)
似的 shìde (22)
收藏 shōucáng (24)
收获 shōuhuò (26)
收拾 shōushi (2)
手册 shǒucè (8)
手绢 shǒujuàn (29)
手枪 shǒuqiāng (19)
手势 shǒushì (28)
手续 shǒuxù (5)
手指 shǒuzhǐ (6)
首届 shǒujiè (30)
受骗 shòupiàn (8)
受伤 shòushāng (12)
售货员 shòuhuòyuán (28)

叔叔	shūshu	(27)
舒畅	shūchàng	(19)
输入	shūrù	(4)
蔬菜	shūcài	(23)
熟练	shúliàn	(4)
熟悉	shúxī	(4)
暑假	shǔjià	(27)
署名	shǔmíng	(27)
鼠标	shǔbiāo	(14)
属相	shǔxiàng	(30)
属于	shǔyú	(30)
数一数二	shǔ yī shǔ èr	(6)
树叶	shùyè	(17)
竖立	shùlì	(14)
刷卡	shuā kǎ	(8)
刷牙	shuā yá	(8)
率领	shuàilǐng	(15)
摔倒	shuāidǎo	(15)
甩卖	shuǎimài	(28)
甩手	shuǎishǒu	(28)
爽快	shuǎngkuài	(26)
水泥	shuǐní	(23)
水渠	shuǐqú	(20)
顺便	shùnbiàn	(13)
顺利	shùnlì	(13)
顺序	shùnxù	(22)
丝毫	sīháo	(30)
司机	sījī	(3)
私人	sīrén	(15)
撕碎	sīsuì	(28)
死机	sǐjī	(4)
死亡	sǐwáng	(5)
寺庙	sìmiào	(12)
似乎	sìhū	(22)
俗话	súhuà	(30)
素质	sùzhì	(20)
速度	sùdù	(13)
塑料	sùliào	(17)
塑身	sùshēn	(17)
算数	suànshù	(6)
虽然	suīrán	(6)
损失	sǔnshī	(23)
缩小	suōxiǎo	(13)

T

它们	tāmen	(13)
抬头	tái tóu	(2)
态度	tàidù	(6)
贪污	tānwū	(20)
贪心	tānxīn	(20)
谈判	tánpàn	(24)
弹琴	tán qín	(16)
坦白	tǎnbái	(21)
坦率	tǎnshuài	(21)
毯子	tǎnzi	(8)
叹气	tàn qì	(7)
探讨	tàntǎo	(28)
唐人街	Tángrén Jiē	(25)
烫发	tàng fà	(18)
烫衣服	tàng yīfu	(18)
掏钱	tāo qián	(24)
逃走	táozǒu	(12)
桃子	táozi	(12)
讨价还价	tǎo jià huán jià	(6)
讨论	tǎolùn	(1)
讨厌	tǎoyàn	(13)
特殊	tèshū	(19)
提倡	tíchàng	(26)
提高	tígāo	(1)
提供	tígōng	(18)
提前	tíqián	(1)
提心吊胆	tí xīn diào dǎn	(28)
体育	tǐyù	(6)
替换	tìhuàn	(30)
天津	Tiānjīn	(14)
甜蜜	tiánmì	(16)
填空	tiánkòng	(17)
挑肥拣瘦	tiāo féi jiǎn shòu	(18)
挑选	tiāoxuǎn	(12)
调整	tiáozhěng	(6)
跳舞	tiào wǔ	(12)
贴邮票	tiē yóupiào	(18)
铁塔	tiětǎ	(19)
亭子	tíngzi	(9)
停止	tíngzhǐ	(9)
挺好	tǐng hǎo	(1)
通俗	tōngsú	(30)
通讯	tōngxùn	(16)
同伴	tóngbàn	(24)
铜牌	tóngpái	(18)
统一	tǒngyī	(10)
痛苦	tòngkǔ	(1)
头发	tóufà	(7)
头昏	tóu hūn	(5)
投票	tóu piào	(17)
投入	tóurù	(17)
透露	tòulù	(29)
透明	tòumíng	(29)
突出	tūchū	(11)
突然	tūrán	(11)
吐气	tǔ qì	(14)
兔子	tùzi	(19)
团结	tuánjié	(3)
推动	tuīdòng	(16)
推广	tuīguǎng	(16)
推荐	tuījiàn	(26)
退却	tuìquè	(8)
退休	tuì xiū	(3)
托儿所	tuō'érsuǒ	(24)
托福	tuōfú	(24)
拖鞋	tuōxié	(18)

W

哇哇叫	wāwā jiào	(30)
挖苦	wāku	(27)
歪歪扭扭	wāiwāi niǔniǔ	(30)
玩耍	wánshuǎ	(27)
王玲	Wáng Líng	(18)
网恋	wǎngliàn	(2)
网迷	wǎngmí	(3)
往返	wǎngfǎn	(28)
往右拐	wǎng yòu guǎi	(8)
危机	wēijī	(4)
危险	wēixiǎn	(4)
微笑	wēixiào	(28)
围绕	wéirào	(19)
违反	wéifǎn	(4)
惟独	wéidú	(27)
维护	wéihù	(27)
伟大	wěidà	(4)
委托	wěituō	(25)
委员	wěiyuán	(25)
卫生	wèishēng	(15)
卫星	wèixīng	(15)
未必	wèibì	(7)
未来	wèilái	(7)
位置	wèizhì	(20)
味道	wèidào	(7)
温暖	wēnnuǎn	(7)
文件夹	wénjiànjiā	(26)
文章	wénzhāng	(6)
稳定	wěndìng	(16)
卧铺	wòpù	(30)
卧室	wòshì	(30)
握手	wò shǒu	(2)
污染	wūrǎn	(22)
污水	wūshuǐ	(22)
无论	wúlùn	(3)
无绳电话	wúshéng diànhuà	(22)
无数	wúshù	(3)
无所谓	wúsuǒwèi	(14)
无限	wúxiàn	(16)
无疑	wúyí	(15)
无缘	wúyuán	(22)
武器	wǔqì	(26)
武术	wǔshù	(26)
舞蹈	wǔdǎo	(29)
物理	wùlǐ	(20)
误会	wùhuì	(7)

X

西藏	Xīzàng	(24)
西红柿	xīhóngshì	(25)
吸毒	xī dú	(20)
吸取	xīqǔ	(5)
吸收	xīshōu	(5)
吸烟	xī yān	(5)
吸引	xīyǐn	(8)
希望	xīwàng	(5)
牺牲	xīshēng	(18)
稀罕	xīhan	(25)
稀少	xīshǎo	(5)
膝盖	xīgài	(21)
习俗	xísú	(30)
喜悦	xǐyuè	(23)
戏剧	xìjù	(13)
系列	xìliè	(10)
系统	xìtǒng	(10)
细菌	xìjūn	(23)
细心	xìxīn	(4)
下跌	xiàdiē	(20)
下浮	xiàfú	(28)
下降	xiàjiàng	(3)
下列	xiàliè	(10)
下棋	xià qí	(4)
吓死	xiàsǐ	(10)
纤细	xiānxì	(29)
掀起	xiānqǐ	(30)
鲜艳	xiānyàn	(21)
咸菜	xiáncài	(21)
显得	xiǎnde	(10)
显然	xiǎnrán	(10)
显示器	xiǎnshìqì	(5)
显著	xiǎnzhù	(24)
县城	xiànchéng	(30)
现代	xiàndài	(15)
现代化	xiàndàihuà	(15)
限制	xiànzhì	(16)
羡慕	xiànmù	(29)
献身	xiànshēn	(11)
相当	xiāngdāng	(13)
相反	xiāngfǎn	(11)
相似	xiāngsì	(22)
香肠	xiāngcháng	(19)
香港	Xiānggǎng	(21)
详细	xiángxì	(26)
享受	xiǎngshòu	(26)
响应	xiǎngyìng	(7)
向……道歉	xiàng…dàoqiàn	(11)
项目	xiàngmù	(25)
象征	xiàngzhēng	(23)
橡皮	xiàngpí	(7)
削皮	xiāo pí	(27)
消毒	xiāodú	(20)
消费	xiāofèi	(17)
消化	xiāohuà	(17)
消磨	xiāomó	(18)

消失 xiāoshī (17)
消息 xiāoxī (17)
小丑 xiǎochǒu (30)
小瞧 xiǎoqiáo (10)
小偷 xiǎotōu (5)
小镇 xiǎozhèn (28)
小组 xiǎozǔ (5)
晓得 xiǎode (19)
效果 xiàoguǒ (10)
效率 xiàolǜ (15)
校徽 xiàohuī (28)
笑话 xiàohuà (4)
斜躺 xié tǎng (21)
辛苦 xīnkǔ (1)
新郎 xīnláng (19)
薪水 xīnshuǐ (26)
信仰 xìnyǎng (18)
信用卡 xìnyòngkǎ (6)
兴奋 xīngfèn (17)
形成 xíngchéng (27)
形容 xíngróng (27)
形式 xíngshì (27)
形势 xíngshì (28)
形象 xíngxiàng (27)
形状 xíngzhuàng (27)
醒悟 xǐngwù (27)
幸福 xìngfú (1)
幸运 xìngyùn (1)
性格 xìnggé (12)
性质 xìngzhì (13)
兴趣 xìngqù (8)
兄弟 xiōngdì (2)
胸口 xiōngkǒu (29)
雄伟 xióngwěi (30)
熊猫 xióngmāo (29)
休闲 xiūxián (13)
修改 xiūgǎi (20)
修理 xiūlǐ (20)
袖珍 xiùzhēn (30)
虚心 xūxīn (16)
许多 xǔduō (1)
酗酒 xùjiǔ (28)
宣布 xuānbù (26)
宣传 xuānchuán (26)
选拔 xuǎnbá (28)
选举 xuǎnjǔ (7)
选择 xuǎnzé (7)
血型 xuèxíng (27)
寻找 xúnzhǎo (18)
训练 xùnliàn (30)
迅速 xùnsù (16)

Y

压力 yālì (13)
牙膏 yágāo (16)
牙科 yákē (3)
亚军 yàjūn (9)
亚洲 Yàzhōu (9)
咽喉 yānhóu (23)
烟雾 yānwù (23)
严格 yángé (14)
严厉 yánlì (14)
严肃 yánsù (30)
严重 yánzhòng (14)
沿海 yánhǎi (17)
研究 yánjiū (3)
研究生 yánjiūshēng (3)
依靠 yīkào (14)
依赖 yīlài (27)
依然 yīrán (14)
研究所 yánjiūsuǒ (3)
眼镜 yǎnjìng (9)
宴会 yànhuì (1)
央视 Yāngshì (24)
央行 Yāngháng (24)
阳台 yángtái (2)
洋葱 yángcōng (11)
仰慕 yǎngmù (29)
养老 yǎnglǎo (3)
腰酸背痛 yāo suān bèi tòng (14)
邀请 yāoqǐng (7)
要求 yāoqiú (11)
摇头 yáo tóu (16)
遥远 yáoyuǎn (16)
咬牙 yǎoyá (5)
钥匙 yàoshi (22)
也许 yěxǔ (1)
野餐 yěcān (5)
业余 yèyú (21)
液体 yètǐ (16)
一辈子 yíbèizi (16)
一段话 yí duàn huà (4)
一份报纸 yí fèn bàozhǐ (15)
一副眼镜 yí fù yǎnjìng (9)
一贯 yíguàn (22)
一粒米 yí lì mǐ (5)
一切 yíqiè (22)
一刹那 yíchànà (29)
一亿 yíyì (1)
一阵风 yí zhèn fēng (19)
一致 yízhì (20)
仪器 yíqì (6)
移动 yídòng (13)
遗产 yíchǎn (10)
遗憾 yíhàn (10)
疑问 yíwèn (15)
以及 yǐjí (5)
以为 yǐwéi (7)
一滴水 yì dī shuǐ (17)
一吨 yì dūn (24)

一幅画 yì fú huà (19)
一棵树 yì kē shù (2)
一颗星 yì kē xīng (2)
一秒钟 yì miǎo zhōng (11)
一篇小说 yì piān xiǎoshuō (8)
一桶水 yì tǒng shuǐ (23)
艺术 yìshù (1)
议论 yìlùn (6)
异常 yìcháng (10)
意义 yìyì (2)
因而 yīn'ér (5)
因素 yīnsù (20)
引起 yǐnqǐ (8)
隐瞒 yǐnmán (16)
隐私 yǐnsī (16)
印刷 yìnshuā (26)
印象 yìnxiàng (26)
应当 yīngdāng (7)
英镑 yīngbàng (17)
英亩 yīngmǔ (10)
英雄 yīngxióng (30)
英勇 yīngyǒng (28)
婴儿 yīng'ér (28)
樱桃 yīngtáo (28)
营养 yíngyǎng (8)
营业 yíngyè (8)
赢得 yíngdé (4)
影响 yǐngxiǎng (7)
应付 yìngfù (22)
应邀 yìngyāo (2)
应用 yìngyòng (7)
硬盘 yìngpán (4)
拥抱 yōngbào (23)
拥护 yōnghù (23)
拥挤 yōngjǐ (23)
永远 yǒngyuǎn (2)
勇敢 yǒnggǎn (28)
勇气 yǒngqì (28)
优点 yōudiǎn (15)
优惠 yōuhuì (24)
优良 yōuliáng (15)
优美 yōuměi (15)
优势 yōushì (28)
优秀 yōuxiù (29)
悠久 yōujiǔ (20)
尤其 yóuqí (3)
由于 yóuyú (9)
犹豫 yóuyù (27)
邮筒 yóutǒng (18)
邮箱 yóuxiāng (5)
油漆 yóuqī (21)
游戏 yóuxì (13)
游泳池 yóuyǒngchí (28)
有效 yǒuxiào (10)
有益 yǒuyì (20)
幼儿园 yòu'éryuán (13)
于是 yúshì (9)
渔民 yúmín (21)
愉快 yúkuài (7)
愚蠢 yúchǔn (11)
愚人节 Yúrén Jié (11)
与……无关 yǔ…wúguān (3)
雨伞 yǔsǎn (7)
语调 yǔdiào (6)
预订 yùdìng (16)
元宵节 Yuánxiāo Jié (17)
原谅 yuánliàng (12)
原则 yuánzé (12)
原子弹 yuánzǐdàn (16)
圆圈 yuánquān (11)
圆珠笔 yuánzhūbǐ (19)
援助 yuánzhù (25)
缘故 yuángù (22)
约翰 Yuēhàn (27)
约会 yuēhuì (3)
月亮 yuèliàng (2)
悦耳 yuè'ěr (23)
允许 yǔnxǔ (14)
运动 yùndòng (1)
运气 yùnqì (1)

Z

杂技 zájì (2)
咱们 zánmen (2)
暂时 zànshí (29)
赞成 zànchéng (29)
遭到 zāodào (12)
遭受 zāoshòu (12)
糟糕 zāogāo (8)
早晨 zǎochén (19)
造句 zào jù (8)
噪音 zàoyīn (10)
择业 zé yè (7)
责任 zérèn (6)
增加 zēngjiā (10)
增添 zēngtiān (29)
扎啤 zhāpí (27)
扎实 zhāshí (27)
炸鸡腿 zhá jītuǐ (29)
诈骗 zhàpiàn (29)
炸弹 zhàdàn (29)
摘花 zhāi huā (17)
摘要 zhāiyào (17)
窄小 zhǎixiǎo (4)
占多数 zhàn duōshù (13)
战胜 zhànshèng (13)
战争 zhànzhēng (13)
站住 zhànzhù (15)
涨价 zhǎng jià (24)

掌上电脑 zhǎngshàng diànnǎo (7)
掌握 zhǎngwò (7)
丈夫 zhàngfu (9)
招待 zhāodài (9)
招待会 zhāodàihuì (9)
召开 zhàokāi (9)
兆头 zhàotou (12)
折叠椅 zhédiéyǐ (26)
哲学 zhéxué (20)
针对 zhēnduì (22)
珍贵 zhēnguì (30)
珍惜 zhēnxī (30)
真理 zhēnlǐ (20)
真实 zhēnshí (1)
诊所 zhěnsuǒ (30)
镇静 zhènjìng (28)
争论 zhēnglùn (6)
争取 zhēngqǔ (6)
征求 zhēngqiú (2)
整理 zhěnglǐ (2)
整齐 zhěngqí (23)
正确 zhèngquè (3)
正式 zhèngshì (3)
正宗 zhèngzōng (25)
证明 zhèngmíng (2)
政策 zhèngcè (20)
政党 zhèngdǎng (15)
政府 zhèngfǔ (22)
政治 zhèngzhì (2)
之后 zhīhòu (9)
之间 zhī jiān (9)
之内 zhīnèi (9)
之前 zhīqián (9)
之上 zhī shàng (9)
之外 zhī wài (9)
之下 zhī xià (9)
之一 zhī yī (9)
之中 zhī zhōng (9)
支持 zhīchí (12)
支配 zhīpèi (25)
支援 zhīyuán (25)
执行 zhíxíng (23)
值得 zhíde (20)
植物 zhíwù (20)
指出 zhǐchū (6)
指挥 zhǐhuī (23)
制度 zhìdù (8)
制造 zhìzào (8)
治病 zhì bìng (2)
质量 zhìliàng (13)
秩序 zhìxù (25)
中华 Zhōnghuá (8)
中秋节 Zhōngqiū Jié (8)
中央 zhōngyāng (24)
中药 zhōngyào (3)
终于 zhōngyú (10)
种类 zhǒnglèi (25)
种花 zhòng huā (7)
重量 zhòngliàng (13)
皱眉头 zhòu méitou (29)
皱纹 zhòuwén (29)
朱红色 zhūhóngsè (19)
珠宝 zhūbǎo (19)
逐步 zhúbù (23)
逐渐 zhújiàn (23)
主人 zhǔrén (1)
主任 zhǔrèn (5)
主席 zhǔxí (17)
主要 zhǔyào (1)
主意 zhǔyi (1)
住宅 zhùzhái (13)
著名 zhùmíng (24)
著作 zhùzuò (24)
抓紧 zhuājǐn (7)
转变 zhuǎnbiàn (9)
转告 zhuǎngào (9)
转动 zhuàndòng (9)
庄稼 zhuāngjia (22)
庄严 zhuāngyán (22)
状况 zhuàngkuàng (13)
状态 zhuàngtài (13)
追捕 zhuībǔ (24)
追求 zhuīqiú (8)
追星族 zhuīxīngzú (8)
捉住 zhuōzhù (21)
资料 zīliào (28)
资源 zīyuán (28)
仔细 zǐxì (22)
紫色 zǐsè (8)
自传 zìzhuàn (9)
自豪 zìháo (30)
自杀 zìshā (29)
自相矛盾 zì xiāng máodùn (13)
自由 zìyóu (9)
宗教 zōngjiào (25)
综合 zōnghé (25)
棕色 zōngsè (25)
总结 zǒngjié (5)
总是 zǒngshì (5)
总统 zǒngtǒng (10)
阻止 zǔzhǐ (5)
组成 zǔchéng (5)
组织 zǔzhī (5)
祖父 zǔfù (5)
祖母 zǔmǔ (5)
祖国 zǔguó (5)
祖先 zǔxiān (5)
钻研 zuānyán (15)
钻石 zuànshí (15)
嘴唇 zuǐchún (19)
尊敬 zūnjìng (12)
尊重 zūnzhòng (12)
遵守 zūnshǒu (12)
遵照 zūnzhào (12)

附录 3

《汉字拼读课本》主要部首构字表

二画

厂:厕厨厚厘历压厌厢

十:毕华博

刂(刀):创刺副割剪剧列判刹剩刷削则制

⺈:负免兔危

亻:傲伴傍保倍侧偿倡传促催代倒低俄仿份佛付傅供估何侯伙价仅俱例偏侨侵任仍傻伤伸似俗停偷伟伍像修依仪亿优债值仔

亠:帝毫豪率亩亭享夜

冫:冲冻减

讠(言):诚诞调订讽谎警谅论谜谋评谱设诗讨谓误详许训讯议诈诊证

阝:陈除队防隔际降郊阶郎邻陆陌陪险限阵阻

又:变艰受叔戏

力:劲励劣劝势勇幼

卩:即却印

三画

土(土):壁堵堆圾基坚境均埋培坪坡墙圣塑塔坦填型增

扌(手):挨按拔摆扮抱拨捕擦插拆抄持抽措搭担挡掉抖扶搞搁挂拐撼护挥技拣捡搅拒据扛抗拷控扣捆扩括拉拦捞描摸捏扭拍排抛捧批披拼扑抢拳扰扔撒扫捎摄拾授摔撕损抬摊探掏提挑挺投推托拖挖握掀扬摇押攒择扎摘掌招折挣执指抓撞捉

艹:菠薄藏葱董范荒获荐节菌苦劳萝落莓苗莫幕葡茄荣蔬蒜萄薪芽药艺营著

大:奋夺奖类奇牵套

囗:固困圈团围

女:姑婚嫁姥妙妇娘婆娶嫂要委姻婴姨

门:闭闯阔闷闪闲

尸:届属

宀:宾察富宫官寂寄客宽牢寞宁实守宵宣宴宅宗

马:骄骗驶验

寸:导夺耐射寻尊

广:底府废腐庙磨唐庭席序庄

巾:帝吊幅幕希

犭(犬):独犯猴狂犹默献状

弓:弹强弱引

忄(⺗):惭惰愤恨怀慌恢悔惊愧懒愣怜恼怕悄惟悟惜性忆愉悦慕

口:哎唉叭吵喘吹唇吨嗯吩否咐哈含喊嘿哼喉呼君啦喇哩另咙嘛呐喷嚷嗓善售叹吐哇味吻吴吸吓响咽咬哟喻咱噪召哲

山:岸岛峰密崇

氵:澳滨波测潮沉池淡滴洞渡泛浮港滚汗滑浑混激渐浇洁津浪淋

溜流漏洛漠泥浓派泡泼漆浅洒
深湿滩汤添涂温污消沿洋液油
渔源涨汁治

彳:彼彻待德徽律微征

辶:逼避迟达递逗返逢逛迹连迈迷
逆迫述速逃透途退违选迅邀遥
遗运遭造逐追遵

饣:饼馒

纟:编纺纷纪继结纠绢绝绕绳缩统
维细纤线绪续缘约终综织

⺌:尝当党尚掌

四画

王:玻环皇璃理玲玛望珍珠

礻:福祸社神祥祖

车:辈辅轮软输转

木:案榜标材查柴材呆朵格根构杭
横检椒棵枯梨李梁柳梅棉模某
寂朴棋枪渠染桑柿松桃梯桶械
樱植株棕

日:暗曾昏晨普晒暑替显晓映暂

火(灬):烤烂灵煤炮燃烫烟燥炸熬
焦烈熟熊煮

攵:敌攻故教敬救效政

贝:败财购贱赔贴贡贯贫赞资

月(⺼):膀背脖膊肠朝脆肚胆肺肤
膏胳骨胡肯朗脉脾胜腿膝胸
腰育

心:悲愁恶惠恳恐恶虑怒惹忍态慰
悉悠怨

欠:款欺歉歇

户:扁雇肩启

支:翅鼓

五画

石:碑础砍碰确碎研硬

目:督瞒眉盼瞧睁

钅:锅键镜铃铺锐镇

穴:究帘穷突

衤(衣):补袋裹袍装

禾:稻稿积稼科秘秒稍税私稳稀秀
移秩

疒:癌疯疾疲症

皿:盖盒监盆盐益

六画

页:顶顿烦颗领顺项

虫:触蜜

⺮:笨策符管简箭笼篇签筒箱筝筑

米:粗粉糕糊粒粮粘

七画

⻊:踩蹈蹲跪践距跨跳跃躁

酉:醋酱酪酗醉

走:超趁赶趣趟

八画

⻗:露霉雾詔.

附录 4

《张老师教汉字》常用形声字一览表

一画

乙(yǐ):亿 艺 忆

二画

十(shí):什 叶 汁 计 针

丁(dīng):钉 顶 订 打 灯 厅 亭 停 宁

七(qī):切 彻

卜(bo):补 扑 朴

人(rén):认

八(bā):叭

几(jī):机

九(jiǔ):究

匕(bǐ):比 毕 批 北 背 匙

丩:叫 收 纠

刀(dāo):召 招 照 绍 超

力(lì):历 劣

乃(nǎi):奶 扔 仍

又(yòu):友

㔾(注意与“巳”的区别):犯 范

三画

干(gān,注意与“千”、“于”的区别):肝 杆 赶 汗 罕 旱 岸

工(gōng):功 攻 巩 贡 红 空 恐 控 江 项

土(tǔ):吐 肚

才(cái):材 财

下(xià):吓 虾

寸(cùn):村 衬 守

大(dà):达 夺

万(wàn):迈

上(shàng):让

小(xiǎo):削 消 悄 少 捎 稍 抄 吵 炒 秒 妙 沙 省

口(kǒu):扣

乞(qǐ):吃

川(chuān):训 顺

彡:衫 参

勺(sháo):钓 约 药 哟

及(jí):极 级 圾 吸

广(guǎng):矿 扩

亡(wáng):忘 望 荒 慌 谎 忙 盲

门(mén):们 闷 问 闻

义(yì):议 仪 蚁

卂(注意与“凡”的区别):迅 讯

己(jǐ):记 纪 起

子(zǐ):字 仔

也(yě):他 她 池 拖

昜:场 肠 畅 扬 汤 烫

刃(rèn):忍

马(mǎ):妈 蚂 玛 码 骂 吗

四画

丰(fēng):峰 蜂 逢

王(wáng):望 狂 逛 皇

井(jǐng):讲 进

天(tiān):添

夫(fū):扶 肤

元(yuán):园 远 院 完 玩

韦(wéi):伟 围 违
云(yún):运
专(zhuān):传 转
五(wǔ):伍 语
支(zhī):枝 翅 技
不(bù):杯 怀 坏 环 还
太(tài):态
尤(yóu):优 忧 犹 扰 就
巨(jù):柜 拒 距 渠
牙(yá):芽 呀 邪
屯(tún):吨 顿
止(zhǐ):址 齿 企
中(zhōng):钟 种 冲
内(nèi):呐
冈(gāng):刚 钢
贝(bèi):败
见(jiàn):现
午(wǔ):许
毛(máo):髦
壬(rén):任 廷 凭
夭(yāo):娇 骄 乔 桥 侨 笑 跃
长(zhǎng):张 涨
化(huà):花 华 货
仅(jǐn):紧 坚
斤(jīn):近 新 薪 析 听 掀
爪(zhuǎ):抓
反(fǎn):饭 返 板 版
介(jiè):阶 界 价
从(cóng):丛
仑(lún):论 轮
今(jīn):琴 念 贪
凶(xiōng):胸 酗
分(fēn):吩 纷 粉 份 扮 掰 盼 盆 贫
公(gōng):松 滚
乏(fá):泛
仓(cāng,注意与“仑”的区别):苍 创 枪 抢
月(yuè):育 阴 有 钥 愉 喻
氏(shì):纸
气(qì):汽
勿(wù):物 忽 吻
欠(qiàn):歉 羡 砍 吹 软
风(fēng):疯 讽
卬:昂 迎 仰 印
勾(gōu):沟 构 购
文(wén):蚊
方(fāng):房 访 放 防 仿 彷 旁 榜 傍 镑
亢(kàng):抗 杭 航
火(huǒ):伙 灰 恢
斗(dòu):抖
户(hù):护 雇
尺(chǐ):迟
夬(注意与“央”的区别):决 缺 快 块 筷
丑(chǒu):扭
巴(bā):把 爸 吧 爬
以(yǐ):似
予(yǔ):预 豫 序 野 舒

五画

示(shì):视
未(wèi,注意与“末”的区别):味 妹
末(mò):袜
戋(jiān):贱 践 钱 浅 线 残
正(zhèng):证 政 整 征 症

去(qù):却 脚
古(gǔ):估 姑 固 故 苦 枯 胡
湖 糊 做
本(běn):笨
术(shù):述
可(kě):哥 歌 何 诃 阿 啊
丙(bǐng):病
厉(lì):励
石(shí):硕
龙(lóng):咙 笼
平(píng):苹 评 坪
东(dōng):冻
占(zhàn):站 战 钻 点 店 贴
𠂤:监 蓝 篮 览
旦(dàn):担 胆 但 坦
且(qiě):姐 粗 租 阻 组 祖 助
甲(jiǎ):鸭
申(shēn):伸 神
由(yóu):油 邮 袖 抽 届
只(zhī):织 职 识
央(yāng):英 映
史(shǐ):使 驶
生(shēng):胜 牲 星 姓 性 醒
矢(shǐ):知
失(shī):秩 跌 铁
乍(zhà):作 昨 怎 窄 炸 诈
禾(hé):和
付(fù):符 附 府 嘣 腐
代(dài):袋 贷
白(bái):百 拍 怕 伯 迫 陌
瓜(guā):孤
乎(hū):呼
㐱:珍 诊 趁
令(lìng,注意与“今”的区别):零
龄 铃 玲 领 邻 怜 冷
用(yòng):拥 勇 通 痛 桶
氐(dǐ):低 底
句(jù):狗 够
㕣:船 铅 沿
匆(cōng):葱
册(cè):删
卯(mǎo,注意与“印”的区别):贸
聊 留 溜
冬(dōng):终 疼 图
务(wù):雾
夗:怨 碗
刍(chú):趋 皱
包(bāo):饱 抱 跑 泡 炮 袍
主(zhǔ):住 注
市(shì):柿
立(lì):粒 拉 啦
兰(lán):拦 烂
半(bàn):伴 判 胖
⺍:学 觉 搅
必(bì):秘 密 蜜
永(yǒng):泳
司(sī):词
尼(ní):泥 呢
弗(fú):佛 费
出(chū):础
⺒(注意与“夆”的区别):择 译 释
奴(nú):努 怒
加(jiā):架 驾 咖
皮(pí):披 疲 彼 被 波 菠 玻 坡
婆 破
发(fā):废 拨 泼
𢀖:经 劲 轻 氢
台(tái):抬 始 治

母(mǔ):毒 每 梅 霉 莓 悔

六画

式(shì):试
刑(xíng):型
圭(guī):挂 佳 街 鞋 哇
寺(sì):诗 持 待 特
吉(jí):结 洁 桔 喜
执(zhí):势 热
共(gòng):供
亚(yà):哑
西(xī):牺 洒 晒
朿:刺 策
夸(kuā):跨
列(liè):烈 例
夷(yí):姨
尧(yáo):绕 挠 浇 晓 烧
至(zhì):侄 致 室
此(cǐ):雌 柴 紫
师(shī):狮
当(dāng):挡
早(zǎo):草 朝 潮 掉 章
虫(chóng):触 独
同(tóng):铜 筒 洞
因(yīn):姻 咽 烟
则(zé):厕 侧 测
朱(zhū):珠 株 殊
缶(fǒu):掏 萄 摇 遥
先(xiān):洗 选
舌(shé):舍 适 活 话 括 阔 刮
竹(zhú):筑
成(chéng):城 诚 盛
臼(jiù):舅
延(yán):诞

自(zì):咱
向(xiàng):响
会(huì):绘
杀(shā):刹
合(hé):盒 给 哈 答 搭 塔
兆(zhào):逃 桃 挑 跳
朵(duǒ):躲
危(wēi):跪 脆
旨(zhǐ):指
各(gè):胳 搁 格 客 路 露 洛
落 略
争(zhēng):诤 睁 筝 挣 净 静
龹:卷 倦 圈
丬:将 奖 酱
庄(zhuāng):脏
亦(yì):迹 变 恋 弯
齐(qí):挤 济
交(jiāo):郊 胶 饺 较 校 效 咬
次(cì):瓷 资
衣(yī):依
产(chǎn):颜
囟:脑 恼
灰(huī):恢
壮(zhuàng):装
老(lǎo):姥
考(kǎo):拷 烤
亥(hài):孩 该 咳 刻
充(chōng):统
羊(yáng):洋 养 氧 样 详 祥
并(bìng):饼 瓶 拼
米(mǐ):迷 谜
州(zhōu):洲
安(ān):按 案
军(jūn):晕 浑 挥 辉

农(nóng):浓
聿(yù):律
那(nà):哪 娜
艮(gèn):根 跟 很 恨 恳 银 眼 艰 限
买(mǎi):卖 读 续

七画

戒(jiè):械
折(zhé):哲
劳(láo):捞
求(qiú):球 救
甫(fǔ):辅 傅 捕 铺 葡 博 膊 薄
束(shù):速 嗽 辣 赖 懒
豆(dòu):逗 短 登 凳
两(liǎng):辆 俩
酉(yǒu):酒
辰(chén):晨 唇 震 振
呈(chéng):程
吴(wú):误
邦(bāng):帮
里(lǐ):厘 理 哩 量
足(zú):促 捉
困(kùn):捆
君(jūn):群 裙
员(yuán):圆 损
呙:祸 锅
告(gào):造 靠
我(wǒ):俄 鹅 饿
利(lì):梨
秀(xiù):透
兵(bīng):宾 滨
攸(yōu):悠
你(nǐ):您
身(shēn):射 谢
囱(cōng):窗
余(yú):斜 除 途 涂
希(xī):稀
佥(qiān):签 捡 检 脸 险 验
坐(zuò):座
谷(gǔ):俗
孚(fú):浮
免(miǎn):晚
奂(huàn):换
角(jiǎo):解 确
亨(hēng):哼
库(kù):裤
辛(xīn):宰
㐬:流 蔬
间(jiān):简
兑(duì):说 脱 阅 税
弟(dì):第 递 梯
良(liáng):粮 娘 郎 朗 狼 浪 廊
矦:侯 喉 猴 候
矣(yǐ):挨 唉

八画

青(qīng):清 情 晴 请 睛 精 静
责(zé):债 绩
者(zhě):都 堵 暑 署 猪 煮 著 绪
其(qí):期 欺 棋 旗 基
取(qǔ):娶 趣 聚
昔(xī):惜 籍 借 醋 错 措
若(ruò):惹
苗(miáo):描 猫
直(zhí):值 植 置
林(lín):淋

奇(qí):骑 椅 寄
斩(zhǎn):暂 惭 渐
到(dào):倒
非(fēi):啡 悲 辈 罪 排
叔(shū):椒 寂 督
尚(shàng):常 赏 堂 躺 趟
党 掌
具(jù):俱
果(guǒ):裹 棵 颗 课
昆(kūn):混
昌(chāng):倡 唱
易(yì):踢
畀(bì):鼻
罗(luó):萝
垂(chuí):睡
隹(zhuī):唯 惟 维 堆 推 谁 催
卑(bēi):碑 牌 脾 啤
采(cǎi):彩 踩 菜
受(shòu):授
周(zhōu):绸 调
昏(hūn):婚
鱼(yú):渔
京(jīng):惊 景 影 就 凉 谅
夜(yè):液
卒(zú):碎 醉
咅:部 倍 陪 培 赔
妾(qiè):接
单(dān):弹
炎(yán):谈 淡 毯
宗(zōng):综 棕 崇
宜(yí):谊
官(guān):馆
建(jiàn):健 键
录(lù):绿

居(jū):剧 据
贯(guàn):惯

九画

春(chūn):蠢
贲(bēn):喷 愤
某(mǒu):谋 煤
巷(xiàng):港
相(xiāng):厢 箱 想
畐:幅 福 副 富
要(yào):腰
柬(jiǎn,作偏旁时有的简化成“东”):拣 练 炼
咸(xián):减 感 喊 憾
尝(cháng):偿
是(shì):提 题
冒(mào):帽
曷(hé):喝 渴 歇
畏(wèi):喂
胃(wèi):谓
禺(yú):寓 遇 愚
耑(zhuān):端 喘
秋(qiū):愁
重(zhòng):董 懂
段(duàn):锻
叟(sǒu):瘦 嫂
爰(yuán,注意与“爱”的区别):援 暖
急(jí):隐 稳
度(dù):渡
娄(lóu):楼 数
前(qián):剪 箭
总(zǒng):聪
扁(biǎn):编 遍 篇 骗

退(tuì):腿
屋(wū):握

十画

敖(áo):熬 傲
㒼:满 瞒
莫(mò):摸 模 漠 寞 幕 慕
罢(bà):摆
原(yuán):愿 源
乘(chéng):剩
般(bān):搬
舀(yǎo):蹈 稻
鬼(guǐ):愧
高(gāo):搞 膏 敲
离(lí):璃
唐(táng):糖
羔(gāo):糕
兼(jiān):谦 歉 廉
朔(shuò):塑
寒:寒 赛
家(jiā):稼 嫁
难(nán):摊 滩
桑(sāng):嗓

十一画

堇(jǐn):谨
真(zhēn):镇
曹(cáo):遭 糟
票(piào):漂 飘
桼(qī):膝 漆
曼(màn):慢 馒
婴(yīng):樱
象(xiàng):橡
孰(shú):熟
麻(má):嘛 磨
啇(注意与"商"的区别):摘 滴
率(shuài):摔
寅(yín):演
竟(jìng):境 镜
宿(sù):缩
尉(wèi):慰

十二画

斯(sī):撕
散(sàn):撒
敬(jìng):警
厨(chú):橱
黑(hēi):嘿 墨 默
焦(jiāo):蕉 瞧
奥(ào):澳 噢
番(fān):翻
然(rán):燃
童(tóng):撞
普(pǔ):谱
尊(zūn):遵
曾(céng):增

十三画以上

喿:操 澡 噪 躁 燥
敫(jiǎo):邀 激
辟(bì):避 壁 臂
察(chá):擦
赞(zàn):攒
襄(xiāng):嚷

后　记

本书的编写最早始于1998年。2000年，在英国牛津大学召开的"以英语为母语者的汉语教学研讨会"上，作者曾就"汉字教学规律"及本书的编写思路与与会的海内外学者进行过交流。从2000年开始，在我所任教的北京语言大学，本书曾分别作为汉字必修课和选修课教材在学院内使用。

我从事对外汉语教学工作近十八年，其间大部分的教学对象是零起点的来华留学生。在整个对外汉语教学体系中，汉字教学显示出相对落后的局面，成为对外汉语教学中难以突破的瓶颈。本人在多年的教学实践中也发现，在对外汉字教学这一问题上，我们自觉或不自觉地存在着以下误区：

1. 关于汉字教学的定位：从某种程度上说，我们常常只是把汉字作为一种学习的工具，一种记录口语的工具，而忽略了汉字作为书面交际工具的作用。其实，日常语言交际内容不只是以口头形式出现，有的往往是以书面形式呈现的，如：标识、招牌等，只学拼音，不学汉字，也会影响到日常的交际。

2. 关于"语"和"文"的关系：以往，我们对此的争论更多集中在语文分开、语文同步、抑或语文分步进行等问题上。在这一点上，可能更重要的还不在于如何处理"语"和"文"的关系，而是如何对待"文"，即如何对待汉字的认读与书写。我们认为，初级阶段汉字的认读和书写需要适当分流，从而减轻学生的负担。比如：零起点精读课生词只要求认读，不要求书写，加强语音和口语交际能力方面的训练。独立的汉字课则可以根据汉字自身规律输入汉字，由易到难，并自始至终注意在词语境和句语境中复现。另外，汉字课的汉字应尽快向精读课的生字和生词靠拢，两种课型的词汇逐渐重合，其中的交叉词汇可以为另一课型的词汇学习提供方便。

3. 关于汉字教学的阶段：在目前的教学实践中，汉字教学常常只体现为写字教学，即体现在汉字的笔顺、笔画、书写规则等的教学上。其实，汉字教学是一项长期的教学任务，它应该贯穿于汉语教学的始终。初级阶段汉字教学的任务更重要的体现在如何将汉字学习内容与学生的学习策略整合，并根据汉字的构字规律将汉字归纳分类，成群分级呈现，使之互为联想和类推的依靠。汉字学习，从某种意义上说，应该是一种方法和习惯的养成。

4. 关于汉字教学的对象：教学对象上的一刀切，也是目前汉字教学中普遍存在的问题。汉字教学不但要考虑到汉字圈和非汉字圈学习者的不同，还要考虑到本科与进修、长期与短期学生不同的学习目的。有些汉语进修生，学习时间只有半年，如果把大量的时间化在学习汉字的书写上，客观上就会影响到他们听说能力的提高，也会造成他们对汉语的畏难情绪，从而使他们失去学习的兴趣和信心。

鉴于以上分析，如果编写独立的汉字教材，开设独立的汉字课程，汉字教学的认读和书写就可适当分流，也可以针对不同的教学对象、不同的教学阶段完成不同的汉字教学任务。汉字课如果作为选修课，则可供日韩等汉字圈学生及不愿意学习汉字书写的非汉字圈学生自由选择，从而满足学生个性化的需求。

《张老师教汉字》从构思、编写、试用到付梓成书，历经数年，因受教学模式、教学观念以及其他一些因素的影响，使我产生了不少的困扰，其间几易其稿，是在出版社的大力支持及编辑们的坚持和督促下，才有机会和大家见面。在此，要衷心感谢北京语言大学出版社所有参与本书编辑出版的老师，还要感谢所有给我提供过帮助和支持的人们！

《张老师教汉字》的《汉字识写课本》及练习册的英译为熊文华老师，插图为丁永寿老师，《汉字拼读课本》的英译为沈叙伦老师，他们的参与为本书增色许多，在此一并致谢！

张惠芬